本 試 験 型

'25 年版

漢字検定 試験問題集

4級

JN006028

目次

「4級」試験問題・最新の傾向

●受検者数と合格率

2023年度の漢字能力検定試験の志願者数は約141万5千人になりました。そのうちの約16万7千人の人が「4級」を受検しています。合格率は5割強で、「5級」までに比べて急に難しくなります。

試験当日に問題の解き方がわからなくてあわてないよう、漢字の勉強だけでなく、どのような問題が出題されるのかを知って対策をねっておくことも大切です。

●最新のテスト傾向

平成29年改訂の小学校学習指導要領が2020年度から全面実施されたことにともない、漢字検定では一部の漢字の配当級が変更され、「香」「井」「沖」が4級配当漢字から7級の配当漢字になりました。

また、「茨」「媛」「岡」「熊」「埼」「鹿」「栃」「奈」「梨」「阪」「阜」など17字が2～3級配当漢字から7級配当漢字へ移動することとなりましたので4級の出題範囲になっています。4級でも出題される可能性があります。しっかりと学習しておきましょう。

4級の出題内容

学習漢字＋三一三字

4級では、小学校の六年間に習ういわゆる学習漢字（教育漢字ともいう）一、〇二六字に、その他の常用漢字三一三字を合わせた計一、三三九字から出題されます。これは、だいたい中学校在学中に習う漢字に相当します。

「4級配当漢字」が重要

学習漢字を除く三一三字は、特に4級用に配分されている漢字で、「4級配当漢字」といって、4級検定では非常に重要な漢字です。

読み・書き・部首

出題領域は、「読み」「書き」「部首」の三つに分類することができます。

読み	書き
常用漢字のうち、学習漢字一、〇二六字をふくむ一、三三九字。中学で習う読みまで。	上記と同じ。

読み　4級の出題範囲の漢字全部が「読み」の問題になりますが、4級では特に「4級配当漢字」が中心になります。また、学習漢字で中学一年生で習う読みや、常用漢字付表の「特別な読み」なども、「読み」によく出題されます。

書き　大問によって割合は異なりますが、「4級配当漢字」から5～7割出題されます。

部首　漢和辞典がひけるほど部首を正しく理解しているかどうかが問われます。出題傾向としては4級配当漢字の部首を問う問題が中心になります。

出題内容と領域

4級の出題内容は次ページの表のとおりですが、出題内容と出題領域との関係は次のようになります。

出題内容	領域
①短文中の漢字の読み	読み
②同音・同訓異字	読み
③漢字識別	読み・書き
④熟語の構成	読み
⑤部首・部首名	部首
⑥対義語・類義語	読み・書き
⑦漢字と送りがな	書き
⑧四字熟語	読み・書き
⑨誤字訂正	読み・書き
⑩短文中の書き取り	書き

表の下段の「読み・書き」とは、領域としては「読み」も「書き」もふくまれるという意味です。例えば前後の漢字が読めないと答えの漢字が書けないというようなことです。

級別出題内容（一例）

「−」は出題されません
9・10級は省略

<table>
<tr><th>内容／級</th><th>短文中の漢字の読み</th><th>筆順・画数</th><th>漢字識別</th><th>部首・部首名</th><th>熟語の構成</th><th>漢字と送りがな</th><th>対義語 類義語</th><th>三・四字熟語</th><th>同音・同訓異字</th><th>誤字訂正</th><th>短文中の書き取り</th><th>漢字数</th></tr>
<tr><td>8級</td><td rowspan="4">短文中の漢字の読み</td><td rowspan="4">筆順・画数</td><td>—</td><td rowspan="2">同じ部首の漢字</td><td>—</td><td rowspan="2">送りがな</td><td rowspan="2">対義語</td><td>—</td><td rowspan="2">音訓判断</td><td>—</td><td rowspan="4">短文中の書き取り</td><td>四四〇字</td></tr>
<tr><td>7級</td><td rowspan="3">漢字えらび</td><td>—</td><td>二字熟語</td><td>—</td><td>六四二字</td></tr>
<tr><td>6級</td><td rowspan="2">部首・部首名</td><td rowspan="2">熟語の構成</td><td rowspan="2">漢字と送りがな</td><td rowspan="2">対義語 類義語</td><td>三字熟語</td><td rowspan="2">同音・同訓異字</td><td>—</td><td>八三五字</td></tr>
<tr><td>5級</td><td>四字の熟語</td><td>—</td><td>一、〇二六字</td></tr>
<tr><td>4級</td><td>短文中の漢字の読み</td><td>—</td><td>漢字識別</td><td>部首</td><td>熟語の構成</td><td>漢字と送りがな</td><td>対義語 類義語</td><td>四字熟語</td><td>同音・同訓異字</td><td>誤字訂正</td><td>短文中の書き取り</td><td>一、三三九字</td></tr>
<tr><td>3級</td><td rowspan="3">短文中の漢字の読み</td><td>—</td><td>漢字識別</td><td rowspan="3">部首</td><td rowspan="3">熟語の構成</td><td rowspan="3">漢字と送りがな</td><td rowspan="3">対義語 類義語</td><td rowspan="3">四字熟語</td><td rowspan="3">同音・同訓異字</td><td rowspan="3">誤字訂正</td><td rowspan="3">短文中の書き取り</td><td>一、六二三字</td></tr>
<tr><td>準2級</td><td>—</td><td>—</td><td>一、九五一字</td></tr>
<tr><td>2級</td><td>—</td><td>—</td><td>二、一三六字</td></tr>
</table>

<table>
<tr><td>準1級</td><td rowspan="2">読み</td><td rowspan="2">書き取り</td><td rowspan="2">熟字訓 当て字</td><td rowspan="2">熟語の読み 一字訓読み</td><td rowspan="2">国字</td><td rowspan="2">誤字訂正</td><td rowspan="2">同音・同訓異字</td><td rowspan="2">四字熟語</td><td rowspan="2">故事 ことわざ</td><td rowspan="2">文章題（書き・読み）</td><td>約三、〇〇〇字</td></tr>
<tr><td>1級</td><td>約六、〇〇〇字</td></tr>
</table>

本書は出題が予想される形式で構成しています。実際の試験は、日本漢字能力検定協会の審査基準の変更の有無にかかわらず、出題形式や問題数が変更されることもあります。

4級の採点基準

一画一画に採点の目

漢字検定では、漢字の一画一画に採点の目が光ります。一画、とめるところ、離すところ、続けるところなどを意識して、ていねいに書かなくてはいけません。

ふだんは通用する略字や正式でないくせ字は、漢字検定ではバツになりますから、十分に注意しましょう。もちろん、点が抜けていたり、不要な点があってもバツです。

はねる	とめる	続けない
刈	介	訴
凡	朱	致
弐	刺	跳
秀	環	杯

教科書体が理想的

字体としては、小学校の教科書に使われている文字の字体が採点の基準になっています。本書のテストと解答は教科書体を使用していますので、参考にしてください。

略字はバツ

×		○
仂	←	働
旺	←	曜
耺	←	職
厂	←	歴
耒	←	来

常用漢字表外はバツ

4級では、常用漢字表にない漢字や読みはバツになります。例えば、「ワレを忘れる」の「ワレ」は、漢字で「我」と書くのが正解で、「吾」と書いたらバツになります。「我」は常用漢字ですが、「吾」は常用漢字ではないからです。

また、「ワカル」の漢字は「分かる」が正解で、「判る」や「解る」と書いたらバツです。「判《わか》る」「解《わか》る」は常用漢字表にない読みだからです。

その他の採点基準

その他の採点基準を簡単にまとめておきます。

送りがな　内閣告示の「送り仮名の付け方」が基準になります。

部首　部首は、参考書によって多少異なりますが、「漢検要覧2～10級対応 改訂版」（日本漢字能力検定協会発行）で示しているものを正解としています（「4級配当漢字」の部首はP.108に掲載）。

合格点　4級の合格点は正解率七〇パーセント前後。これが目安になります。4級は二〇〇点満点ですから、一四〇点前後を取れば合格です。

4級の実施要項

だれでも受けられる

受検資格 年齢、性別、国籍《こくせき》を問わずだれでも受検できます。

申込方法 個人で受検する場合は日本漢字能力検定協会のホームページから申し込みを行います。

受験方法 個人受検には①「公開会場」での受検、②「漢検CBT」、③「漢検オンライン（個人受検）」の三種類があります。以降では①「公開会場」での受検を説明します。

申込期間 検定日の二か月前から約一か月前まで。

検定料 検定料は変わることがあるので、漢字検定の広告や問合せ先のホームページなどで確認するようにしましょう。

申込後の変更 申込締切日までは、「マイページ」上で「住所」、「電話番号」、「受検地」の変更および、「検定料が同じ級」への変更、申込キャンセルが可能です。「検定料が異なる級」への変更は、元の受検級のキャンセル後に再申し込みが必要です。

全国で定期的に実施

検定日 定期的に行っています。検定協会に問い合わせてください。

検定会場 全国主要都市。申込時に選択できる受検地から自分の希望する場所を選びます。

検定時間 六〇分。開始時間の異なる級を選べば、二つ以上の級を受検することができます。

合否の発表 検定日から所定の日数後、合格者には合格証書、合格証明書、検定結果通知などが、また不合格者には検定結果通知が郵送されます。

問合せ先 公益財団法人日本漢字能力検定協会の本部（〒605-0074京都市東山区祇園町南側五五一番地）ホームページ（https://www.kanken.or.jp/）にある「よくある質問」を読んで該当する質問がみつからなければメールフォームでお問合せください。電話でのお問合せ窓口は〇一二〇-五〇九-三一五（無料）です。

検定日の注意事項

❶受検票を忘れず持参しましょう。受検中、受検票を机の上におかなくてはなりません。

❷検定会場へ自動車やバイクで行くのを禁止している会場が多いので事前に確認しましょう。

❸HBかBの鉛筆、または濃いシャープペンシルを持参しましょう。鉛筆は二本、また鉛筆がけずれる簡単なものを用意しておくと安心です。消しゴムも必要です。ボールペン、万年筆などの使用は認められません。

❹検定開始の一五分前に検定会場に入りますので、遅れないようにしましょう。

❺検定中は携帯《けいたい》電話の電源を必ずオフにしておきます。

❻検定が終わると全員に後日標準解答が郵送されます。自分が書いた答えを覚えているうちに標準解答で自己採点をしましょう。

❼検定が終わっても受検票は捨てないで、合否通知が届くまで大切に保存しましょう。

※本書の情報は2024年10月現在のものです。

テストに入る前に

①テストに取りかかる前に、P.108からの「チカラがつく資料」に目を通されることをおすすめします。

②解答は一画一画ていねいに書きましょう。

③解答時間を守りましょう。

④最後の第16回までやりとげましょう。

⑤自己採点は厳格に行いましょう（別冊の解答と照合する）。

⑥まちがえたところは二度とまちがえないように練習を心がけましょう。

テスト&資料《チカラがつく》

答えには、常用漢字の旧字体や常用漢字以外の漢字および常用漢字表にない読みを使ってはいけません。

テストの構成

㈠読み
㈡同音・同訓異字
㈢漢字識別
㈣熟語の構成
㈤部首
㈥対義語・類義語
㈦漢字と送りがな
㈧四字熟語
㈨誤字訂正
㈩書き取り

4級

第1回★テスト（60分）

◇合計点◇

（200点満点の　　点）

- 140点以上 合格
- 110点以上 合格まであと一歩
- 80点以上 さらに努力を
- 79点以下 受検級を考え直しましょう

1×30　／30

(一)　次の――線の**漢字の読み**を**ひらがな**で記せ。

1 静寂を破る大きな音がした。（　　）
2 将来は獣医さんになりたい。（　　）
3 母は毎朝六時に起床する。（　　）
4 柔和な感じの仏像が好きだ。（　　）
5 事と次第によっては許さない。（　　）
6 今年の成績を去年と比較する。（　　）
7 少し傾斜した古いビルがある。（　　）
8 雑貨屋で生活の必需品を買う。（　　）
9 五月下旬に上京するつもりだ。（　　）
10 弐万円の小切手をきる。（　　）
11 狭量な考え方を改める。（　　）
12 通常国会は毎年一回召集される。（　　）
13 言うことが前後で矛盾している。（　　）
14 デパートで贈答品を見て回る。（　　）
15 趣味が同じで会話がはずんだ。（　　）
16 メールに図表を添付する。（　　）
17 親子で河川舟運に従事している。（　　）
18 事故は一瞬の間に起きた。（　　）
19 優雅な生活にあこがれる。（　　）
20 十円硬《こう》貨が腐食して黒ずむ。（　　）
21 灯台守を題材にした小説を読む。（　　）
22 朝の浜辺を散歩する。（　　）

23 至って腰の低い人物だ。（　　）
24 そのさそいは、ごめん被る。（　　）
25 品物の取り扱いに注意する。（　　）
26 乳飲み子を背負って出かける。（　　）
27 食事時間を避けて訪問する。（　　）
28 油絵の具で港の風景を描く。（　　）
29 山間部に鉄道が敷かれた。（　　）
30 意気地なしと言われたくない。（　　）

（二）

2×15　／30

次の――線のカタカナにあてはまる漢字をそれぞれのア～オから一つ選び、記号を記せ。

1 日ごろから地シンに備える。
2 プラモデルをシン重に組み立てた。
3 ふり子のシン幅を測定する。
（ア振　イ慎　ウ信　エ震　オ申）

4 区役所に書類をユウ送する。
5 ユウ大な構想を打ち出す。
6 空き時間をユウ効に使う。
（ア雄　イ勇　ウ郵　エ友　オ有）

7 鉄道エン線に自宅がある。
8 火山が白い噴エンを上げる。
9 運動会が雨で順エンになる。
（ア煙　イ沿　ウ遠　エ演　オ延）

10 兄はこの事件に関ヨしている。
11 失った名ヨの回復に努める。
12 宴《えん》会のヨ興に歌をうたう。
（ア予　イ誉　ウ与　エ余　オ預）

13 この重さならカタ手で持てる。
14 ワンピースのカタ紙を作る。
15 借金のカタ代わりをする。
（ア肩　イ型　ウ片　エ形　オ方）

2×5

/10

（三）

1〜5の三つの□に**共通する漢字**を入れて熟語を作れ。漢字は**ア〜コ**から**一つ**選び、**記号**を記せ。

1 月□・投□・□武者（　　）

2 黒□・□色・□管（　　）

3 □目・□毛・□衣（　　）

4 本□・福□・□程（　　）

5 □気・木□・□暦（　　）

ア 人	イ 銀	ウ 羽	エ 鉛	オ 残
カ 音	キ 陰	ク 映	ケ 漫	コ 影

2×10

/20

（四）

熟語の構成のしかたには次のようなものがある。

ア 同じような意味の漢字を重ねたもの　　（**身体**）
イ 反対または対応の意味を表す字を重ねたもの　　（**浮沈**）
ウ 上の字が下の字を修飾しているもの　　（**必要**）
エ 下の字が上の字の目的語・補語になっているもの　　（**始業**）
オ 上の字が下の字の意味を打ち消しているもの　　（**不明**）

次の熟語は右の**ア〜オ**のどれにあたるか、**一つ**選び、**記号**を記せ。

1 激怒（　）　2 無礼（　）　3 開閉（　）

4 耐熱（　）　5 分別（　）　6 看病（　）

7 貧富（　）　8 壁画（　）　9 夫婦（　）

10 乾燥（　）

(五) 次の漢字の**部首**をア〜エから**一つ**選び、**記号にマーク**せよ。

1×10 /10

1 巡 (ア ノ　イ 人　ウ 巛　エ 辶)
2 朱 (ア ノ　イ 二　ウ 木　エ 禾)
3 重 (ア 土　イ 里　ウ 曰　エ 丨)
4 盾 (ア 目　イ 十　ウ 厂　エ ノ)
5 柔 (ア 子　イ 木　ウ 矛　エ 丨)
6 煮 (ア 灬　イ 土　ウ ノ　エ 日)
7 垂 (ア 一　イ 土　ウ 十　エ ノ)
8 釈 (ア 米　イ 人　ウ 釆　エ 禾)
9 襲 (ア 月　イ 立　ウ 竜　エ 衣)
10 秀 (ア 禾　イ 刀　ウ 八　エ ノ)

(六) 後の□内のひらがなを漢字に直して□に入れ、**対義語・類義語**を作れ。□内のひらがなは一度だけ使い、**一字記入**せよ。

2×10 /20

対義語

1 詳細—大□
2 通称—本□
3 授与—受□
4 自立—□存
5 偉人—□人

類義語

6 消息—□信
7 薪炭—□料
8 設立—□設
9 風土—□境
10 加勢—□助

い・えん・おん・かん・そう
ねん・ぼん・みょう・りゃく・りょう

2×5 /10

(七)

次の——線のカタカナを漢字一字と送りがな(ひらがな)に直せ。

〈例〉字をオシエル。 教える

1 メズラシイ切手が手に入った。( )
2 十人の部下を上手にアヤツル。( )
3 虫をツカマエてかごに入れる。( )
4 洋服のボタンをかけチガエル。( )
5 大学進学のため親元からハナレル。( )

2×10 /20

(八)

文中の四字熟語の——線のカタカナを漢字に直せ。( )内に一字記入せよ。

1 先生のお話は意味シン長だった。( )
2 クウ前絶後のヒット商品を生む。( )
3 悪ロゾウ言の限りをつくす。( )
4 美ジ麗句はもう聞きあきた。( )
5 政治の世界も有為テン変である。( )
6 キ死回生のホームランを打つ。( )
7 外見と異なり鬼面ブッ心の人だ。( )
8 会社は青息ト息の状態だ。( )
9 難しい宿題に悪戦苦トウする。( )
10 隣国の工作員が暗中飛ヤクしている。( )

2×5 /10

(九)

次の各文にまちがって使われている同じ読みの漢字が一字ある。( )内の上に誤字を、下に正しい漢字を記せ。

1 大陸からの紀節風が強まり日本列島は冬型の気圧配置になった。(・)

2 最近市内で不可思議な事件が相次ぎ警察は対応に追われている。（・）
3 労働組合の賃上げ要究に対して経営者側は利益の減少を説明した。（・）
4 日本を含む局東の経済情勢は楽観が許されない状態に至っている。（・）
5 七年努めた会社が倒産し再就職の目途がつかず日夜頭を痛めている。（・）

（十） 次の――線のカタカナを漢字に直せ。

2×20 /40

1 ゼンセンむなしく敗れる。（　）
2 計画のコッシがまとまった。（　）
3 友人に仕事をイライする。（　）
4 ナンキョクを切り抜ける。（　）
5 人がらがオンコウである。（　）
6 父のようなケイサツ官になるのが夢だ。（　）
7 図書館で借りた本をヘンキャクする。（　）
8 ゴウウにより川の堤防が決壊した。（　）
9 事故で両親をなくしヒタンにくれる。（　）
10 友人に兄をショウカイする。（　）
11 親友にメイワクをかけてしまった。（　）
12 絵画のコレクションをジマンする。（　）
13 ホドなく会議が始まる。（　）
14 タビ重なる失敗にもくじけない。（　）
15 今日もハリ切って仕事をしよう。（　）
16 父のニギり飯がなつかしい。（　）
17 イクタの試練を乗り越え成功した。（　）
18 夫婦でタガいに助け合う。（　）
19 自分の仕事にホコりを持って働く。（　）
20 実家の料理は味付けがコい。（　）

4級

第2回★テスト（60分）

◇合計点◇

（200点満点の　　点）

- 140点以上 合格
- 110点以上 合格まであと一歩
- 80点以上 さらに努力を
- 79点以下 受検級を考え直しましょう

1×30　／30

(一) 次の――線の**漢字の読み**を**ひらがな**で記せ。

1 尋常な手段では勝てない。（　　）
2 今月の新刊本を紹介する。（　　）
3 理不尽な要求に腹を立てる。（　　）
4 体力テストで握力を測定する。（　　）
5 来週から夏の休暇が始まる。（　　）
6 吹奏楽の音色が美しい。（　　）
7 床上浸水の被害が百戸をこえた。（　　）
8 本物の革の触感を楽しむ。（　　）
9 天賦の才を発揮する。（　　）
10 湖でウナギの養殖をする。（　　）
11 言葉を慎重に選んで話をする。（　　）
12 心を打たれて感涙にむせぶ。（　　）
13 新年会で今年の抱負を述べる。（　　）
14 銀行で出納業務を担当する。（　　）
15 決算の粉飾が明るみに出た。（　　）
16 今大会屈指の好投手だ。（　　）
17 鉄分の含有量を調べる。（　　）
18 本名ではなく通称で呼ぶ。（　　）
19 伝統工芸の後継者を育てる。（　　）
20 相手陣営の戦力をさぐる。（　　）
21 弁当箱に料理を詰める。（　　）
22 道幅が狭くて車が通りにくい。（　　）

23 入場料を支払って入園する。（　　）
24 春らしい柄の和服を着る。（　　）
25 心を閉ざして話そうとしない。（　　）
26 研究に十年以上を費やした。（　　）
27 父は毎日仕事で忙しい。（　　）
28 夏休みにくわがたを捕まえた。（　　）
29 危険を冒して川を渡った。（　　）
30 波止場で三時に待ち合わせた。（　　）

(二)

2×15

/30

次の――線のカタカナにあてはまる漢字をそれぞれのア～オから一つ選び、記号を記せ。

1 恐フのあまり大声で叫んだ。
2 母に豆フを買ってくるよう頼まれる。
3 水の中ではフ力が働く。
（ア布　イ浮　ウ怖　エ普　オ腐）

4 兄に苦しい胸の内をト露する。
5 発展ト上国を援助する。
6 外務大臣が外交のためにト米する。
（ア渡　イ戸　ウ都　エ吐　オ途）

7 検査で大事なカ所を見落とす。
8 実行カ能なことから手をつける。
9 兄におカ子を買ってもらった。
（ア果　イ菓　ウ科　エ箇　オ可）

10 授業で詩をロウ読する。
11 過ロウで会社を休む。
12 新ロウ新婦を祝福する。
（ア労　イ朗　ウ郎　エ露　オ老）

13 愛犬の太郎を庭にハナす。
14 マイクからハナれて歌う。
15 外国人と英語でハナす。
（ア離　イ花　ウ鼻　エ話　オ放）

2×5 /10

(三)

1〜5の三つの□に**共通する漢字**を入れて熟語を作れ。漢字は**ア〜コ**から**一つ**選び、**記号**を記せ。

1 □底・殺□・□達度（　）

2 □物・漁□・□得（　）

3 却□・□手・川□（　）

4 □至・真□・初□（　）

5 寝□・発□・□水（　）

ア 品	イ 汗	ウ 室	エ 青	オ 獲
カ 到	キ 合	ク 下	ケ 業	コ 夏

2×10 /20

(四)

熟語の構成のしかたには次のようなものがある。

ア 同じような意味の漢字を重ねたもの（**身体**）

イ 反対または対応の意味を表す字を重ねたもの（**浮沈**）

ウ 上の字が下の字を修飾しているもの（**必要**）

エ 下の字が上の字の目的語・補語になっているもの（**始業**）

オ 上の字が下の字の意味を打ち消しているもの（**不明**）

次の熟語は右の**ア〜オ**のどれにあたるか、**一つ**選び、**記号**を記せ。

1 防災（　）

2 非才（　）

3 矛盾（　）

4 普及（　）

5 猛暑（　）

6 繁茂（　）

7 攻防（　）

8 援助（　）

9 貸与（　）

10 浸水（　）

1×10

□/10

(五)

次の漢字の**部首**をア～エから**一つ**選び、**記号にマーク**せよ。

1 寝（ア 又　イ 宀　ウ 冖　エ 丨）
2 殖（ア 目　イ 十　ウ 夕　エ 歹）
3 争（ア 亅　イ 一　ウ ノ　エ 刀）
4 尋（ア 口　イ 工　ウ 寸　エ 丶）
5 奏（ア 大　イ 人　ウ ハ　エ 二）
6 畳（ア 田　イ 目　ウ 自　エ 一）
7 率（ア 十　イ 亠　ウ 玄　エ 冫）
8 薪（ア 斤　イ 艹　ウ 木　エ 立）
9 菓（ア 艹　イ 田　ウ 木　エ 一）
10 丈（ア 一　イ 大　ウ ノ　エ 入）

2×10

□/20

(六)

後の□内のひらがなを漢字に直して□に入れ、**対義語・類義語**を作れ。□内のひらがなは一度だけ使い、**一字記入**せよ。

対義語

1 是認－□認
2 故意－□失
3 独立－□属
4 経度－□度
5 美名－□名

類義語

6 尾行－□跡
7 横領－□服
8 内幕－□面
9 警戒－□視
10 対照－比□

い・お・か・かく・かん
じゅう・ちゃく・つい・ひ・り

2×5 /10

(七)

次の――線のカタカナを漢字一字と送りがな(ひらがな)に直せ。

〈例〉字をオシエル。 教える

1 力のイチジルシイ差はないはずだ。( )

2 教師の忠告に耳をカタムケル。( )

3 足首をオサエてテープを巻く。( )

4 突飛な行動をイマシメル。( )

5 外国の大使を夕食にムカエル。( )

2×10 /20

(八)

文中の四字熟語の――線のカタカナを漢字に直せ。( )内に一字記入せよ。

1 悪逆無ドウの行いを重ねる。( )

2 思いがイ心伝心で伝わる。( )

3 「節約」を金科ギョク条とする。( )

4 公平無シな裁定が下った。( )

5 イ風堂堂と入場する。( )

6 疑心アン鬼で落ち着かない。( )

7 姉は才色ケン備と評判だ。( )

8 試合に負けて意気消チンする。( )

9 兄は意志ケン固な人物だ。( )

10 ハク志弱行では社会で通用しない。( )

2×5 /10

(九)

次の各文にまちがって使われている同じ読みの漢字が一字ある。( )内の上に誤字を、下に正しい漢字を記せ。

1 国際試合における上位入賞を目指し選手団は総力決集をちかった。(・)

2 地方にある日本の都市はどこも財原不足が深刻な問題となっている。（　・　）

3 地震学会によると数年以内に郡発地震が発生する可能性がある。（　・　）

4 夏休みに年長の親類縁者を訪ね歩いて我が家の型図を作成した。（　・　）

5 事故が多発するような電車の運行状況は速やかに改全されるべきだ。（　・　）

2×20

/40

(十) 次の——線の**カタカナ**を**漢字**に直せ。

1 主治医から**ガイハク**の許可が出た。（　）

2 雑誌の付録は小**サッシ**だった。（　）

3 日本経済の先行きは五里**ムチュウ**だ。（　）

4 入学試験の**バイリツ**が高い。（　）

5 建物の高さに**アットウ**される。（　）

6 **ドシャ**崩《くず》れにより通行止めになった。（　）

7 山が**フンカ**して島民が避難する。（　）

8 沼地を**カンタク**して田畑を作る。（　）

9 京都は**ボンチ**になっている。（　）

10 この湖は**トウメイ**度が高い。（　）

11 窓ガラスに**スイテキ**が付いていた。（　）

12 時刻表で電車の時間を**カクニン**する。（　）

13 麦**メシ**にとろろをかける。（　）

14 部屋にカーペットを**シ**く。（　）

15 きれいな空気を**ス**い込む。（　）

16 **カイコ**のまゆから絹糸をとる。（　）

17 体重の増加に**ナヤ**む。（　）

18 約束の時間に**オク**れる。（　）

19 教室で**イノコ**り勉強する。（　）

20 **モヨ**りの駅まで歩いて十分かかる。（　）

4級

第3回★テスト（60分）

◇合計点◇

（200点満点の　　点）

- 140点以上　合格
- 110点以上　合格まであと一歩
- 80点以上　さらに努力を
- 79点以下　受検級を考え直しましょう

1×30

/30

(一)　次の――線の**漢字の読み**を**ひらがな**で記せ。

1 冬は空気が乾燥している。（　）
2 この家の天井はずいぶん高い。（　）
3 知事選挙は即日開票された。（　）
4 原生林を開拓して住みつく。（　）
5 大男が仁王立ちで前をふさいだ。（　）
6 物騒な世の中になったものだ。（　）
7 アルプスを征服したい。（　）
8 この服は光沢が美しい。（　）
9 鮮度の高い魚を仕入れる。（　）
10 国内の賃金の格差の是正に努める。（　）
11 低俗な番組が打ち切られた。（　）
12 起訴状が裁判所に提出された。（　）
13 耐久性に優れたペンキを開発する。（　）
14 盛装してパーティに出かける。（　）
15 一日三交替で機械を動かす。（　）
16 姓名判断で運勢を見てもらう。（　）
17 鼻濁音で発音する。（　）
18 不朽の名作を読みつぐ。（　）
19 問題に善処するよう求められた。（　）
20 名僧の説法に耳を傾ける。（　）
21 翼をつけて空を飛んでみたい。（　）
22 網戸の目から小虫が入る。（　）

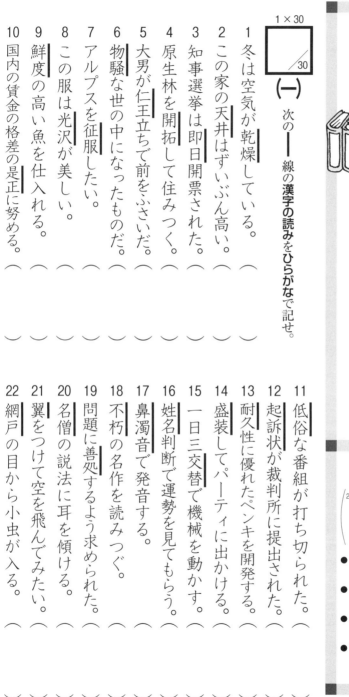

23 しめ切り日が明日に迫った。（　　）
24 期待のコンサートに胸が躍る。（　　）
25 社員の長年の労に報いる。（　　）
26 子供の優れた素質を見抜く。（　　）
27 主役の雄雄しい演技が印象深い。（　　）
28 似顔絵の名人の誉れが高い。（　　）
29 家族で娘の成人を祝う。（　　）
30 梅雨寒で体調をくずした。（　　）

2×15
/30

(二)

次の――線のカタカナにあてはまる漢字をそれぞれのア～オから一つ選び、記号を記せ。

1 物理学会の権イが講演する。
2 不正行イは許されない。
3 平イな説明を心掛《が》ける。
（ア位　イ為　ウ威　エ易　オ意）

4 サッカーの試合に熱キョウする。
5 野菜のキョウ給が不足している。
6 絶キョウマシーンに乗って目が回った。
（ア共　イ狂　ウ叫　エ供　オ協）

7 弟とエイ画館へ出かけた。
8 友人はエイ利な頭脳の持ち主だ。
9 台風のエイ響で電車が止まる。
（ア衛　イ鋭　ウ栄　エ映　オ影）

10 日本舞ヨウを習っている。
11 食塩の水ヨウ液をつくる。
12 子供たちに童ヨウを教えた。
（ア溶　イ様　ウ踊　エ陽　オ謡）

13 おいしい物を食べて舌がコえた。
14 やっと難関を乗りコえたようだ。
15 なき母をコう思いが増す。
（ア恋　イ越　ウ粉　エ黄　オ肥）

2×5　/10

(三)

1～5の三つの□に**共通する漢字**を入れて熟語を作れ。漢字は**ア～コ**から**一つ**選び、**記号**を記せ。

1 □気・青□・□才（　　）

2 □細・□報・不□（　　）

3 反□・□手・□行（　　）

4 □意・究□・北□点（　　）

5 □名・因□・世□（　　）

ア 逆　イ 勇　ウ 極　エ 対　オ 相

カ 善　キ 鬼　ク 襲　ケ 注　コ 詳

2×10　/20

(四)

熟語の構成のしかたには次のようなものがある。

ア 同じような意味の漢字を重ねたもの　（**身体**）

イ 反対または対応の意味を表す字を重ねたもの　（**浮沈**）

ウ 上の字が下の字を修飾しているもの　（**必要**）

エ 下の字が上の字の目的語・補語になっているもの　（**始業**）

オ 上の字が下の字の意味を打ち消しているもの　（**不明**）

次の熟語は右の**ア～オ**のどれにあたるか、**一つ**選び、**記号**を記せ。

1 依頼（　）　2 遅刻（　）　3 空欄（　）

4 思慮（　）　5 感涙（　）　6 優劣（　）

7 未婚（　）　8 専用（　）　9 表裏（　）

10 在宅（　）

(五)

1×10　/10

次の漢字の**部首**をア〜エから**一つ**選び、**記号にマーク**せよ。

1 旬（ア 日　イ 勹　ウ ノ　エ 口）
2 兆（ア 冫　イ ノ　ウ し　エ 儿）
3 是（ア 𤴓　イ 日　ウ ト　エ 人）
4 峰（ア 夂　イ 十　ウ 八　エ 山）
5 東（ア 木　イ 口　ウ 八　エ ｜）
6 弟（ア 己　イ ｜　ウ 弓　エ ノ）
7 承（ア 子　イ 手　ウ 亅　エ 水）
8 騒（ア 馬　イ 虫　ウ 又　エ 灬）
9 占（ア 口　イ ｜　ウ ト　エ 一）
10 扇（ア 羽　イ 冫　ウ 一　エ 戸）

(六)

2×10　/20

後の□内のひらがなを漢字に直して□に入れ、**対義語・類義語**を作れ。□内のひらがなは一度だけ使い、**一字記入**せよ。

対義語

1 発端－□局
2 徴収－□入
3 公然－内□
4 低俗－高□
5 建設－破□

類義語

6 改定－変□
7 他界－□眠
8 冷静－□着
9 美辞－□句
10 縁者－□類

えい・が・かい・こう・しゅう
しん・ちん・のう・みつ・れい

2×5 ／10

(七)

次の―線のカタカナを漢字一字と送りがな(ひらがな)に直せ。

〈例〉字をオシエル。 教える

1 よくハタラク父に育てられた。（　）

2 三角形の二辺の長さがヒトシイ。（　）

3 友人にサッカー部への入部をススメル。（　）

4 冬の夜空に星がカガヤク。（　）

5 人体に悪影響をオヨボス物質がある。（　）

2×10 ／20

(八)

文中の四字熟語の―線のカタカナを漢字に直せ。(　)内に一字記入せよ。

1 意気トウ合して仲良しになった。（　）

2 暗雲低メイの状態から抜け出す。（　）

3 神社のコ事来歴を調べる。（　）

4 危キ一髪で難をのがれる。（　）

5 計画はいつの間にかウン散霧消した。（　）

6 奇ソウ天外な手を打つ。（　）

7 優勝した選手たちが狂キ乱舞する。（　）

8 ボウ若無人な態度に皆あきれる。（　）

9 敵兵を一網打ジンにする。（　）

10 妹は容姿端レイで性格もいい。（　）

2×5 ／10

(九)

次の各文にまちがって使われている同じ読みの漢字が一字ある。(　)内の上に誤字を、下に正しい漢字を記せ。

1 地球のすぐ外側にある火星が大折近する様子を望遠鏡で観察した。（　・　）

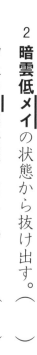

2 整形外科医が処方してくれた肩こりの薬は非常に功果があった。（　・　）

3 市町村が統合され住民代表が一堂に会して記念式展が挙行された。（　・　）

4 適度な森林浴は身体の健康だけでなく精神面の健康維示にも役立つ。（　・　）

5 青少年時代はとかく道を謝りやすいが温かく見守ることも大切である。（　・　）

（十）次の――線のカタカナを漢字に直せ。

2×20　/40

1 漢字のキゲンを調べる。（　）

2 大学のコウハイと旅行に出かける。（　）

3 姉はおカシ作りが趣味だ。（　）

4 激しい雪でシカイがきかない。（　）

5 庭でうさぎをシイクしている。（　）

6 ジャッカンの資金を援助した。（　）

7 虫歯のチリョウに歯医者に通う。（　）

8 地球は太陽のワクセイである。（　）

9 恐竜《りゅう》のズカンを誕生日にもらう。（　）

10 晴天から突然のライウとなった。（　）

11 強豪校とゴカクに渡り合った。（　）

12 ヘイボンな日々に飽《あ》きてしまった。（　）

13 カロやかにステップを踏む。（　）

14 注意されたらタダちに改める。（　）

15 むだに時間をツイやした。（　）

16 ホトケの顔も三度、という。（　）

17 故郷をハナれて一人暮らしをする。（　）

18 どこからか風鈴《りん》のヒビきが聞こえる。（　）

19 高原の空気はスんでいる。（　）

20 放火の犯人をツカまえる。（　）

4級

第4回★テスト（60分）

◇合計点◇

200点満点の　　点

- 140点以上　合格
- 110点以上　合格まであと一歩
- 80点以上　さらに努力を
- 79点以下　受検級を考え直しましょう

（一）次の――線の漢字の読みをひらがなで記せ。

1×30　　/30

1 風の抵抗をまともに受けた。（　　）
2 優秀な成績で学校を卒業した。（　　）
3 立山連峰を雪がおおう。（　　）
4 淡水に生息する魚の特徴を調べる。（　　）
5 散髪してさっぱりした。（　　）
6 八月に雪が降るとは珍事だ。（　　）
7 数滴のワインが味をやわらげる。（　　）
8 「金壱万円」と金額を記入する。（　　）
9 事態はやっと沈静化した。（　　）
10 台風に備え堤防を強化する。（　　）
11 植木を丹念に手入れする。（　　）
12 八畳の和室に通された。（　　）
13 弾丸ライナーのホームランだ。（　　）
14 白い装束で神主がおはらいする。（　　）
15 この文章は誤字や脱字が多い。（　　）
16 茶柱が立つと縁起がよい。（　　）
17 市に緑地を増やすよう嘆願する。（　　）
18 会社の発展に多大な足跡を残す。（　　）
19 毎年恒例の行事が行われた。（　　）
20 天災に備え米や麦を備蓄する。（　　）
21 粒の大きいぶどうはうまい。（　　）
22 皆の意見を聞いて回る。（　　）

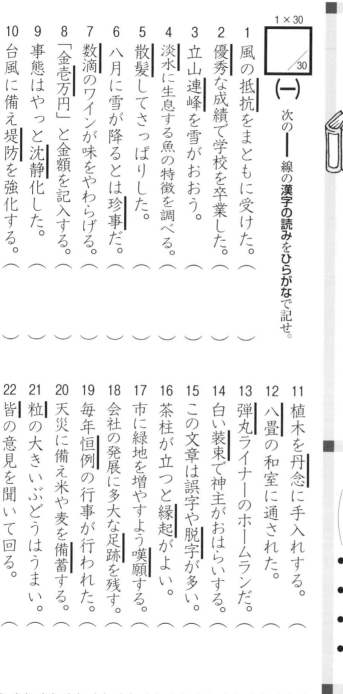

23 慣れない仕事に戸惑う。（　　）
24 来年の暦をあれこれ選ぶ。（　　）
25 朗らかに子供たちが笑う。（　　）
26 和やかに首脳会談が進んだ。（　　）
27 頼もしい助っ人《と》が現れた。（　　）
28 机の脚を切って高さをそろえる。（　　）
29 腕ずもうには自信がある。（　　）
30 開通パレードで紙吹雪が舞う。（　　）

2×15 ／30

(二)

次の――線の**カタカナ**にあてはまる漢字をそれぞれの**ア～オ**から**一つ**選び、**記号**を記せ。

1 文集の原**コウ**を書く。
2 母に**コウ**水をプレゼントした。
3 親**コウ**行だとほめられた。
（ア 孝　イ 幸　ウ 考　エ 稿　オ 香）

4 演奏が終わると皆で**ハク**手した。
5 田舎の古民家に宿**ハク**する。
6 主役の**ハク**真の演技に引き込まれた。
（ア 拍　イ 泊　ウ 白　エ 迫　オ 薄）

7 寺院の**カイ**律を守る。
8 地震で家が半**カイ**した。
9 **カイ**適なドライブを楽しむ。
（ア 改　イ 壊　ウ 械　エ 快　オ 戒）

10 **サイ**末大売り出しが始まった。
11 難民を救**サイ**する。
12 秋の山の色**サイ**が美しい。
（ア 済　イ 採　ウ 歳　エ 再　オ 彩）

13 ていねいに庭の草**カ**りをする。
14 図書館から本を**カ**りる。
15 友達にノートを**カ**す。
（ア 書　イ 刈　ウ 買　エ 借　オ 貸）

2×5

/10

(三)

1〜5の三つの□に**共通する漢字**を入れて熟語を作れ。漢字は**ア〜コ**から**一つ**選び、**記号**を記せ。

1 制□・□中・□来光（　　）

2 □天・信□・□角（　　）

3 □向・□意・野□（　　）

4 □遊・散□・□画（　　）

5 証□・□点・根□（　　）

ア 趣　イ 止　ウ 念　エ 漫　オ 言
カ 理　キ 御　ク 書　ケ 拠　コ 仰

2×10

/20

(四)

熟語の構成のしかたには次のようなものがある。

ア 同じような意味の漢字を重ねたもの　（**身体**）
イ 反対または対応の意味を表す字を重ねたもの　（**浮沈**）
ウ 上の字が下の字を修飾しているもの　（**必要**）
エ 下の字が上の字の目的語・補語になっているもの　（**始業**）
オ 上の字が下の字の意味を打ち消しているもの　（**不明**）

次の熟語は右の**ア〜オ**のどれにあたるか、**一つ**選び、**記号**を記せ。

1 握力（　）　2 鋭敏（　）　3 霧笛（　）

4 違約（　）　5 陰陽（　）　6 劣勢（　）

7 越冬（　）　8 無尽（　）　9 維持（　）

10 往来（　）

1×10

/10

(五)

次の漢字の**部首**を**ア〜エ**から**一つ**選び、**記号にマーク**せよ。

1 丹（ア 冂　イ 一　ウ 丶　エ 亅）
2 蓄（ア 艹　イ 田　ウ 幺　エ 亠）
3 書（ア 曰　イ 丨　ウ 一　エ 日）
4 東（ア 曰　イ 木　ウ 丨　エ 八）
5 再（ア 一　イ 丨　ウ 田　エ 冂）
6 年（ア 二　イ 一　ウ 干　エ 十）
7 端（ア 山　イ 而　ウ 立　エ 冂）
8 周（ア 土　イ 口　ウ 冂　エ 亅）
9 徴（ア 攵　イ 王　ウ 彳　エ 山）
10 致（ア 至　イ 攵　ウ 土　エ 厶）

2×10

/20

(六)

後の□内のひらがなを漢字に直して□に入れ、**対義語・類義語**を作れ。□内のひらがなは一度だけ使い、**一字記入**せよ。

対義語

1 至難－□易
2 減退－□進
3 半減－□加
4 苦言－□言
5 記憶－忘□

類義語

6 不意－□突
7 退職－□任
8 前途－□来
9 内包－□有
10 祭事－□式

かん・がん・ぎ・きゃく・じ
しょう・ぞう・とう・ばい・よう

2×5 ／10

(七) 次の――線の**カタカナ**を**漢字一字と送りがな(ひらがな)**に直せ。

〈例〉 字を**オシエル**。 教える

1 三年の年月を**ツイヤシ**て完成する。（　）

2 先生のお宅に**ウカガウ**。（　）

3 古い家屋の柱が**クチル**。（　）

4 **アヤウク**学校に遅刻しそうになった。（　）

5 **オドロキ**のあまり言葉を失った。（　）

2×10 ／20

(八) 文中の**四字熟語**の――線の**カタカナ**を漢字に直せ。(　)内に**一字記入**せよ。

1 **一病ソク災**で長生きする。（　）

2 **行ウン流水**、旅のような人生だ。（　）

3 歴史上の出来事から**オン故知新**を学ぶ。（　）

4 **驚天ドウ地**の大事件が起こる。（　）

5 百点を取って**喜色マン面**だ。（　）

6 **公明セイ大**をモットーにする。（　）

7 大臣は**言コウ一致**の政治家だ。（　）

8 **同ショウ異夢**で意見がまとまらない。（　）

9 **夜ロウ自大**な人物は尊敬されない。（　）

10 **イ風堂堂**としたたたずまい。（　）

2×5 ／10

(九) 次の各文にまちがって使われている**同じ読みの漢字**が**一字**ある。(　)内の**上に誤字**を、**下に正しい漢字**を記せ。

1 良い品は良い素財から生まれるので原料の選別は非常に重要である。（　・　）

2 長く人々の支持を受けてきた楽団だが経営悪化で存属不可能となった。（・）

3 湖や河川に流入した外国種の魚類が繁殖し在来種が絶える傾行にある。（・）

4 火災の損害を細小限に食い止めるため家族全員で商品を運び出した。（・）

5 不況で会社が倒産し在庫品のほか土地や建物等が指し押さえられた。（・）

（十） 次の——線のカタカナを漢字に直せ。

2×20　／40

1 シュクショウコピーをとる。（　）

2 外遊中の大統領をケイゴする。（　）

3 ジュンシンな心を傷つける。（　）

4 ジュウイになるべく勉強に励《はげ》む。（　）

5 新しいテンポが駅前に出来た。（　）

6 新入生のカンゲイ会を開く。（　）

7 事件のショウサイがはっきりとしない。（　）

8 巨額の脱税をテキハツする。（　）

9 クウランの中に答えを書く。（　）

10 政府はナイジュの拡大を目指した。（　）

11 ドクセン的に販売する権利を得た。（　）

12 期末テストのハンイを確認する。（　）

13 父は銀行にツトめている。（　）

14 ツカれたときは休みなさい。（　）

15 昼からカミナリが鳴り始めた。（　）

16 一日中歩いて足がイタい。（　）

17 試みが失敗したワケを考える。（　）

18 実家では犬をニヒキ飼っている。（　）

19 赤字をオギナう手立てをする。（　）

20 引っ越しでコシを痛めてしまった。（　）

4級

第5回★テスト（60分）

◇合計点◇

（200点満点の　　　点）

- 140点以上 合格
- 110点以上 合格まであと一歩
- 80点以上 さらに努力を
- 79点以下 受検級を考え直しましょう

1×30　　／30

（一）次の――線の漢字の読みをひらがなで記せ。

1 救命胴衣を素早く着ける。（　　）
2 京都などの盆地の夏は暑い。（　　）
3 怒気を帯びた目でにらまれた。（　　）
4 無事の帰宅に吐息をついた。（　　）
5 一対の湯のみ茶わんを買った。（　　）
6 仕立てた羽織に家紋を入れる。（　　）
7 新製品の注文が殺到する。（　　）
8 この事典は用途が広い。（　　）
9 干拓地の面積が増えた。（　　）
10 食品添加物を減らしてほしい。（　　）
11 新たな人材発掘に努める。（　　）
12 登山道を夜明け前に踏破した。（　　）
13 守銭奴と呼ばれ敬遠される。（　　）
14 申し出を丁重にお断りした。（　　）
15 秋になり水稲がたわわに実る。（　　）
16 管制塔からの指令を待つ。（　　）
17 荒天をついて出発した。（　　）
18 病床についてから一週間たつ。（　　）
19 台所の必需品を買う。（　　）
20 短期留学のため渡米した。（　　）
21 芋を洗うような混みようだ。（　　）
22 もう子供扱いにできない。（　　）

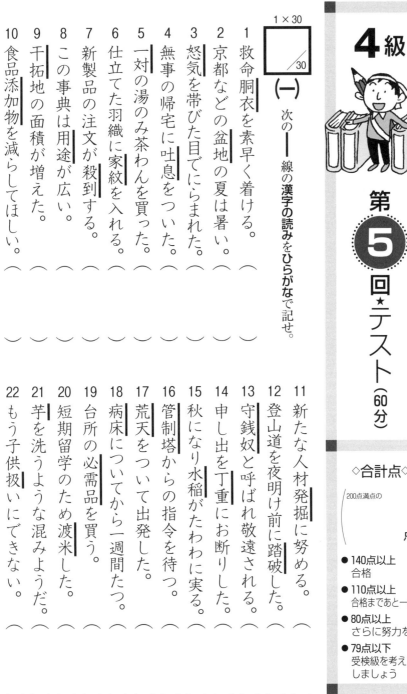

第5回

23 事件のカギを握る人物に会う。（　）
24 外国の偉い人たちが集まる。（　）
25 天ぷらの衣をからっとあげる。（　）
26 雪山が朝日に映えて美しい。（　）
27 動きは鋭いがパンチは弱い。（　）
28 本当のことを包み隠す。（　）
29 雨が降りそうな鉛色の空だ。（　）
30 遠足には絶好の五月晴れだ。（　）

(二)

2×15　/30

次の――線のカタカナにあてはまる漢字をそれぞれのア～オから一つ選び、記号を記せ。

1 退職をカン告する。
2 カン護師になるための学校へ通う。
3 新入社員のカン迎会を行う。
（ア感　イ勧　ウ歓　エ看　オ漢）

4 シン重に言葉を選ぶ。
5 戦闘機が敵国にシン入する。
6 将来の指シンを示す。
（ア進　イ侵　ウ針　エ新　オ慎）

7 ギ問に思った点を質問する。
8 自分なりの流ギで詩を書いた。
9 妹が学芸会で遊ギをする。
（ア疑　イ戯　ウ義　エ儀　オ議）

10 校舎は老キュウ化している。
11 山頂で酸素をキュウ入する。
12 日本一の砂キュウを訪ねる。
（ア吸　イ究　ウ求　エ丘　オ朽）

13 速達で分厚い手紙がツいた。
14 今週は予定がツまっている。
15 話の種がツきた。
（ア次　イ着　ウ付　エ尽　オ詰）

2×5

/10

(三)

1～5の三つの□に**共通する漢字**を入れて熟語を作れ。漢字は**ア～コ**から**一つ**選び、**記号**を記せ。

1 中□・□承・後□者（　　）

2 □実・□気・中□（　　）

3 真□・□葉・口□（　　）

4 復□・□行・□味（　　）

5 □新・今□・変□（　　）

ア 更	イ 最	ウ 現	エ 継	オ 紅
カ 陽	キ 続	ク 興	ケ 果	コ 堅

2×10

/20

(四)

熟語の構成のしかたには次のようなものがある。

ア 同じような意味の漢字を重ねたもの （**身体**）
イ 反対または対応の意味を表す字を重ねたもの （**浮沈**）
ウ 上の字が下の字を修飾しているもの （**必要**）
エ 下の字が上の字の目的語・補語になっているもの （**始業**）
オ 上の字が下の字の意味を打ち消しているもの （**不明**）

次の熟語は右の**ア～オ**のどれにあたるか、**一つ**選び、**記号**を記せ。

1 獲得（　）
2 雄弁（　）
3 隣国（　）
4 汚職（　）
5 拍手（　）
6 観劇（　）
7 計測（　）
8 平凡（　）
9 寒暖（　）
10 無我（　）

(五)

1×10 ／10

次の漢字の**部首**をア～エから**一つ**選び、**記号にマーク**せよ。

1 峠（ア 山　イ 土　ウ 丶　エ 二）
2 倒（ア 亻　イ 刂　ウ 至　エ 厶）
3 畳（ア 目　イ 一　ウ 冖　エ 田）
4 夫（ア 二　イ 大　ウ 人　エ ノ）
5 盗（ア 欠　イ 一　ウ 冫　エ 皿）
6 奮（ア 田　イ 隹　ウ 大　エ 人）
7 闘（ア 豆　イ 門　ウ 寸　エ 日）
8 裏（ア 衣　イ 里　ウ 亠　エ 氏）
9 唐（ア 广　イ 一　ウ 口　エ 丨）
10 殿（ア 又　イ 几　ウ 八　エ 殳）

(六)

2×10 ／20

後の□内のひらがなを漢字に直して□に入れ、**対義語・類義語**を作れ。□内のひらがなは一度だけ使い、**一字記入**せよ。

対義語

1 軽薄―□厚
2 航行―□泊
3 任命―□任
4 落第―□第
5 巨大―□小

類義語

6 思案―□慮
7 綿密―□細
8 手本―□範
9 台本―□本
10 悲鳴―絶□

い・かい・きゃく・きゅう・きょう
こう・じゅう・てい・び・も

(七)

2×5 /10

次の――線のカタカナを漢字一字と送りがな(ひらがな)に直せ。

〈例〉字をオシエル。 教える

1 年の暮れは何かとイソガシイ。（　　）

2 体の不調をウッタエル人が続出する。（　　）

3 大は小をカネル。（　　）

4 使者を隣国にツカワス。（　　）

5 弟は祖父母にアマヤカサれて育った。（　　）

(八)

2×10 /20

文中の四字熟語の――線のカタカナを漢字に直せ。(　)内に一字記入せよ。

1 花チョウ風月を友とする。（　　）

2 みにくい骨肉ソウ食をくり広げる。（　　）

3 金ジョウ湯池の守りが自慢だ。（　　）

4 アン中飛躍する黒幕がいる。（　　）

5 一念発キしてまじめに働く。（　　）

6 今度の仕事はシン剣勝負だ。（　　）

7 意シ薄弱で頼りにならない。（　　）

8 有イ転変の世の中の様子を記録する。（　　）

9 あれほどいた敵が雲散ム消した。（　　）

10 危機一パツで事故を起こさずにすんだ。（　　）

(九)

2×5 /10

次の各文にまちがって使われている同じ読みの漢字が一字ある。(　)内の上に誤字を、下に正しい漢字を記せ。

1 苦しい資練の場で本領を発揮できたことがその後の自信につながった。（　・　）

2 祖父から届けられた荷物と引きかえに配達員へ授領書を手渡した。（　・　）

3 学生生活の思い出と当時抱いていた希望や苦悩などを主記に書く。（　・　）

4 旅館の二階から右に指線を移すと観光客でにぎわう朝市が見えた。（　・　）

5 大学を首席で卒業したが目標とする学業成績を収めた訳ではない。（　・　）

2×20

／40

(十) 次の――線のカタカナを漢字に直せ。

1 年末に交通**キセイ**が行われる。（　）

2 五年後の年収を**スイケイ**する。（　）

3 洋服の**スンポウ**を測る。（　）

4 「医は**ジンジュツ**なり」という。（　）

5 一時的に**キオク**を無くした。（　）

6 長期**キュウカ**中に日本一周する。（　）

7 **ヒサン**な現状から目をそらす。（　）

8 厳しい**カイリツ**を守る。（　）

9 クマが**トウミン**から目覚めた。（　）

10 風紀委員の**ワンショウ**をつける。（　）

11 パーティーは**セイキョウ**のうちに終わった。（　）

12 反対意見の**コンキョ**を示す。（　）

13 **ワラベ**歌に合わせて手遊びをする。（　）

14 親子で**サワノボ**りを楽しむ。（　）

15 自動車を買うには大金が**イ**る。（　）

16 同窓会は**ナゴ**やかであった。（　）

17 期限は**アマ**すところ二日だ。（　）

18 **ホガ**らかな青空で気持ちいい。（　）

19 風呂《ふろ》上がりにかみを**カワ**かす。（　）

20 公園の**シバフ**の上で寝ころぶ。（　）

4級

第6回★テスト（60分）

◇合計点◇

（200点満点の　　点）

- 140点以上 合格
- 110点以上 合格まであと一歩
- 80点以上 さらに努力を
- 79点以下 受検級を考え直しましょう

1×30

/30

（一）次の――線の漢字の読みをひらがなで記せ。

1 部長が率先垂範すべきである。（　）
2 同門から多くの人材を輩出する。（　）
3 抜群の表現力で引きつける。（　）
4 朝から胃の鈍痛が続いている。（　）
5 幼い弟妹たちとなわとびをする。（　）
6 血中のアルコール濃度を測定する。（　）
7 曇天で気分も晴れない。（　）
8 市販の薬で急場をしのいだ。（　）
9 格下の相手に苦杯をなめる。（　）
10 得意先に商品を搬出する。（　）
11 強肩で知られる外野手がいる。（　）
12 親子関係で苦悩する。（　）
13 軽薄な発言で評判を落とす。（　）
14 旅の支度がすっかり整った。（　）
15 迫力満点の場面が続く。（　）
16 立った拍子にかぎを落とす。（　）
17 習字を朱筆で直される。（　）
18 心臓の鼓動が聞こえる。（　）
19 高名な画家に弟子入りをした。（　）
20 称賛に値する行動だ。（　）
21 庭の梅が一輪咲いた。（　）
22 サッカー場に芝を敷く。（　）

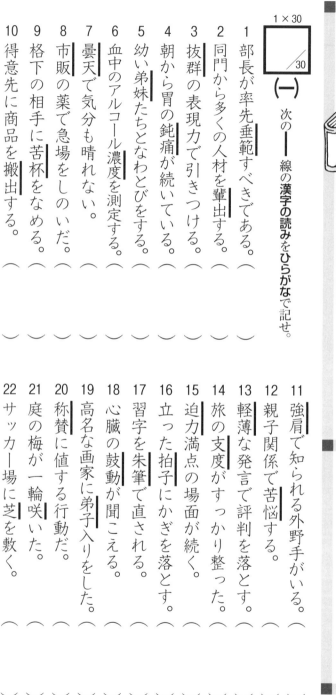

23 湯のみ茶わんの縁が欠ける。（　）
24 店員は皆忙しそうだ。（　）
25 血眼になって弟を探した。（　）
26 日照りが続いて池が干上がる。（　）
27 奥の手を使って相手を負かす。（　）
28 押しぎみに試合を進める。（　）
29 従業員の無断欠勤を戒める。（　）
30 今日は秋晴れの運動会日和だ。（　）

2×15

□ /30

(二) 次の——線のカタカナにあてはまる漢字をそれぞれのア～オから一つ選び、記号を記せ。

1 県庁所在地に本キョを構える。□
2 市営球場の使用キョ可を出す。□
3 自宅から駅までのキョ離を測る。□
（ア距　イ巨　ウ挙　エ拠　オ許）

4 「光イン矢のごとし」と言われる。□
5 イン象派の作品が展示されている。□
6 雲間から月がイン見する。□
（ア印　イ陰　ウ隠　エ引　オ院）

7 兄はケイ済学部の学生だ。□
8 減税の恩ケイに浴す。□
9 ケイ斜の急な坂がある。□
（ア傾　イ景　ウ係　エ恵　オ経）

10 前人未到のイ業を成した。□
11 亡くなった画家のイ作を見る。□
12 公平な態度をイ持する。□
（ア移　イ遺　ウ偉　エ異　オ維）

13 海外旅行を予定にクみ入れる。□
14 山で道に迷い、途方にクれる。□
15 日程を一日クり上げる。□
（ア食　イ繰　ウ組　エ暮　オ来）

2×5
／10

(三) 1～5の三つの□に**共通する漢字**を入れて熟語を作れ。漢字は**ア～コ**から**一つ**選び、**記号**を記せ。

1 □念・固□・□刀医（　）
2 閉□・□骨・連□（　）
3 土□・□場・□金（　）
4 鑑□・表□・名□（　）
5 樹□・□汗・油□（　）

ア 門	イ 表	ウ 鎖	エ 脂	オ 確
カ 砂	キ 賞	ク 執	ケ 冷	コ 札

2×10
／20

(四) **熟語の構成**のしかたには次のようなものがある。

ア 同じような意味の漢字を重ねたもの（**身体**）
イ 反対または対応の意味を表す字を重ねたもの（**浮沈**）
ウ 上の字が下の字を修飾しているもの（**必要**）
エ 下の字が上の字の目的語・補語になっているもの（**始業**）
オ 上の字が下の字の意味を打ち消しているもの（**不明**）

次の熟語は右の**ア～オ**のどれにあたるか、**一つ**選び、**記号**を記せ。

1 闘病（　）
2 環状（　）
3 含有（　）
4 及落（　）
5 尽力（　）
6 去来（　）
7 祈願（　）
8 非常（　）
9 歓声（　）
10 傍線（　）

1×10

/10

(五)

次の漢字の**部首**を**ア～エ**から**一つ**選び、**記号にマーク**せよ。

1 範（ア 車　イ 㔾　ウ し　エ ⺮）
2 突（ア 大　イ 穴　ウ 宀　エ 人）
3 罰（ア 言　イ 刂　ウ 罒　エ 亅）
4 曇（ア 雨　イ 日　ウ ム　エ 二）
5 夜（ア 亻　イ 亠　ウ 歹　エ 夕）
6 搬（ア 扌　イ 殳　ウ 舟　エ 又）
7 並（ア 一　イ 二　ウ 丨　エ 工）
8 髪（ア 彡　イ 長　ウ 辰　エ 髟）
9 薄（ア 艹　イ 氵　ウ 寸　エ 田）
10 輩（ア 彡　イ 非　ウ 車　エ 十）

2×10

/20

(六)

後の□内のひらがなを漢字に直して□に入れ、**対義語・類義語**を作れ。□内のひらがなは一度だけ使い、**一字記入**せよ。

対義語

1 微弱－□烈
2 普通－□別
3 出生－死□
4 攻撃－防□
5 決定－□留

類義語

6 栄進－出□
7 使命－□務
8 繁栄－□況
9 対等－□角
10 道理－理□

ぎょ・きょう・くつ・ご・せ
せい・とく・にん・ほ・ぼう

(七)

2×5　/10

次の――線の**カタカナ**を**漢字一字と送りがな(ひらがな)**に直せ。

〈例〉字を**オシエル**。　教える

1 商品券の不足分を現金で**オギナウ**。（　　）

2 **イサマシイ**口上を述べる。（　　）

3 作品にたましいを**コメル**。（　　）

4 魚の骨がのどに**ササル**。（　　）

5 ガラスを**スカシ**て外を見る。（　　）

(八)

2×10　/20

文中の**四字熟語**の――線の**カタカナ**を漢字に直せ。(　)内に**一字記入**せよ。

1 **一陽来フク**に望みをかける。（　　）

2 うぬぼれ屋が**自ガ自賛**している。（　　）

3 **九牛一モウ**のことで怒られる。（　　）

4 **公ジョ良俗**に反する行いである。（　　）

5 **コウ顔無恥**な態度にあきれる。（　　）

6 **一触即ハツ**の危機が生じた。（　　）

7 自分だけ**セイ人君子**を気取る。（　　）

8 **疑心暗キ**にとらわれる。（　　）

9 **旧態イ然**とした設備ではだめだ。（　　）

10 オリンピックで優勝し**狂喜乱ブ**する。（　　）

(九)

2×5　/10

次の各文にまちがって使われている**同じ読みの漢字**が**一字**ある。(　)内の**上に誤字**を、**下に正しい漢字**を記せ。

1 外務次官の辞任理由について所説が飛び交っているが真相は不明だ。（　・　）

2 念願であった航空機の操従を専門学校で教官から詳しく教わる。（・）
3 出版前に想定した対照読者は学生だったが社会人にも評判が良い。（・）
4 未明に発生した障害事件の現場検証が警察官によって行われた。（・）
5 道理に沿って話を積めていけば問題を解決する糸口が見つかる。（・）

2×20
／40

(十) 次の——線のカタカナを漢字に直せ。

1 **ソウイ**あふれる木工品である。（　）
2 提案は会議で**キャッカ**された。（　）
3 神の**ソンザイ**を信じますか。（　）
4 死刑《けい》の**センコク**がなされた。（　）
5 **ダンサ**をなくした家を建てる。（　）
6 教室で自己**ショウカイ**をする。（　）
7 **シュミ**はキャンプと登山です。（　）
8 突然の**ゴウウ**により堤防が壊れた。（　）
9 **キオク**力には自信がある。（　）
10 久しぶりの**キュウカ**を楽しむ。（　）
11 体育の授業で**アクリョク**を測った。（　）
12 何気ない一言が**ソウドウ**を引き起こした。（　）
13 天ぷらの**コロモ**がうすい。（　）
14 **シゲ**みに虫がたくさんいる。（　）
15 **ヌマ**地にきれいな花がさく。（　）
16 レースでコースターを**ア**む。（　）
17 秋風が**フ**く季節になった。（　）
18 夜はすっかり人通りが**タ**える。（　）
19 身の**タケ**に合った暮らしをする。（　）
20 水にぬれた服を**カワ**かす。（　）

4級

第7回★テスト（60分）

◇合計点◇

（200点満点の　　　点）

- 140点以上 合格
- 110点以上 合格まであと一歩
- 80点以上 さらに努力を
- 79点以下 受検級を考え直しましょう

1×30　　/30

(一) 次の――線の**漢字の読み**を**ひらがな**で記せ。

1 微動だにせず立ちつくした。（　　）
2 火事の恐怖が忘れられない。（　　）
3 各自で問題文を黙読する。（　　）
4 医学の進歩に寄与したい。（　　）
5 納得のいく説明がほしい。（　　）
6 今夜のおかずは精進揚《あ》げだ。（　　）
7 普通にやれば出来るはずだ。（　　）
8 その提案は唐突の感があった。（　　）
9 情勢の変化に機敏に対処する。（　　）
10 風景の描写がリアルだ。（　　）
11 土手の彼岸花をスケッチする。（　　）
12 繁雑な手続きを省く。（　　）
13 語尾をはっきりと話すこと。（　　）
14 新事業の発起人となった。（　　）
15 危険を回避する手立てを講じる。（　　）
16 全般的に体力の低下が目立つ。（　　）
17 言語の違いを比較する。（　　）
18 台風の被害はすさまじかった。（　　）
19 健康のため玄米食にする。（　　）
20 人権保護の考え方が浸透する。（　　）
21 村の朽ちかけた橋を渡った。（　　）
22 援助は幾らでもするつもりだ。（　　）

23 客に座ぶとんを勧めた。（　　）
24 妹と沼の回りを散策する。（　　）
25 無作法なこと極まりない。（　　）
26 親友は組織の長となる器だ。（　　）
27 来週は予定が詰まっている。（　　）
28 丘にのぼって星をながめた。（　　）
29 君の実力には及ばない。（　　）
30 竹刀を大きく振りかざす。（　　）

（二）

2×15 /30

次の——線のカタカナにあてはまる漢字をそれぞれのア〜オから**一つ**選び、**記号**を記せ。

1 無事合格ケン内に入ることができた。
2 輸入薬品から毒物をケン出した。
3 コンビニの二ケン先に交番がある。
（ア検　イ研　ウ険　エ軒　オ圏）

4 水不足で稲がコ死する。
5 お祭りで太コをたたいた。
6 大国が軍事力をコ示する。
（ア枯　イ個　ウ固　エ誇　オ鼓）

7 室内の空気が乾ソウしている。
8 案内のソウに導かれて寺院に入る。
9 スキーのソウ具を新調する。
（ア層　イ装　ウ燥　エ僧　オ操）

10 大学では英文学を専コウしたい。
11 コウ野にある道路を車で走る。
12 年コウ序列を改める。
（ア向　イ功　ウ荒　エ攻　オ光）

13 うっすらと涙をウかべる。
14 台風により大きな被害をウけた。
15 ピストルでウたれた。
（ア打　イ受　ウ得　エ撃　オ浮）

2×5
/10

(三)

1〜5の三つの□に**共通する漢字**を入れて熟語を作れ。漢字は**ア〜コ**から**一つ**選び、**記号**を記せ。

1 □道・□医・野□（　）

2 □響・投□・□法師（　）

3 □衛・留□・□子（　）

4 近□・□顔・類□（　）

5 寝□・□下・起□（　）

ア 似	イ 武	ウ 床	エ 海	オ 影
カ 食	キ 獣	ク 守	ケ 社	コ 姿

2×10
/20

(四)

熟語の構成のしかたには次のようなものがある。

ア 同じような意味の漢字を重ねたもの（**身体**）

イ 反対または対応の意味を表す字を重ねたもの（**浮沈**）

ウ 上の字が下の字を修飾しているもの（**必要**）

エ 下の字が上の字の目的語・補語になっているもの（**始業**）

オ 上の字が下の字の意味を打ち消しているもの（**不明**）

次の熟語は右の**ア〜オ**のどれにあたるか、**一つ**選び、**記号**を記せ。

1 珍客（　）

2 臨場（　）

3 苦楽（　）

4 巨万（　）

5 屈折（　）

6 吹奏（　）

7 細大（　）

8 強豪（　）

9 拡幅（　）

10 未決（　）

1×10

□ /10

(五)

次の漢字の**部首**を**ア〜エ**から**一つ**選び、**記号にマーク**せよ。

		ア	イ	ウ	エ
1	舞	ニ	夕	歹	舛
2	匹	匚	ノ	し	儿
3	避	辛	辶	口	立
4	腐	肉	寸	亠	广
5	徴	攵	山	彳	儿
6	辞	立	辛	十	口
7	老	匕	ノ	土	耂
8	敷	方	丶	攵	田
9	疲	又	皮	广	疒
10	盤	皿	殳	几	舟

2×10

□ /20

(六)

後の□内のひらがなを漢字に直して□に入れ、**対義語・類義語**を作れ。□内のひらがなは一度だけ使い、**一字記入**せよ。

対義語

1 冒頭—□尾

2 単純—□雑

3 罪過—□行

4 専業—□任

5 開放—閉□

類義語

6 慢心—□長

7 近隣—□辺

8 傍観—□視

9 賛美—□倒

10 様子—状□

きょう・けい・けん・さ・ざ
しゅう・ぜん・ぞう・ふく・まつ

2×5
/10

(七)

次の――線のカタカナを漢字一字と送りがな(ひらがな)に直せ。

〈例〉字をオシエル。 教える

1 成り行きにマカセて行動する。( )

2 記者会見で多くの質問をアビセル。( )

3 商店街がすっかりサビレル。( )

4 代役をココロヨク引き受けた。( )

5 服をきれいにタタミなさい。( )

2×10
/20

(八)

文中の四字熟語の――線のカタカナを漢字に直せ。( )内に一字記入せよ。

1 けんか両成敗で一ケン落着だ。( )

2 起死カイ生の秘策がある。( )

3 うわさがシン小棒大に伝わる。( )

4 オン吐朗朗と読み上げる。( )

5 心から極楽往ジョウを願う。( )

6 思慮フン別のある行動をする。( )

7 自給自ソクの生活をする。( )

8 キョウ天動地の事件が起きた。( )

9 厚顔無チにも程がある。( )

10 多事多タンな一年だった。( )

2×5
/10

(九)

次の各文にまちがって使われている同じ読みの漢字が一字ある。( )内の上に誤字を、下に正しい漢字を記せ。

1 厳しい批判を受けても深念を曲げてまで敵対勢力には服従しない。(・)

2 会社は住民団体と日照権侵害についての示談に聖意ある態度で臨む。（・）

3 不景気で労働条件が悪化し旧友の計らいで運送会社に展職した。（・）

4 在校生の親と担任の教師が生徒の卒業後の新路について検討した。（・）

5 朝刊の一面に乗っていた特集記事は誤報であることが判明した。（・）

(十) 次の――線のカタカナを漢字に直せ。

2×20

/40

1 **ドウセイ**同名の同級生がいる。（　）

2 お**ボン**は父の実家へ行く予定だ。（　）

3 学校の**エンゲキ**部で活動する。（　）

4 交通費は各自の**フタン**です。（　）

5 医者の**チュウコク**を守る。（　）

6 **トウギュウ**はスペインの国技だ。（　）

7 兄の**ヒボン**な才能はだれもが認める。（　）

8 「**ムジュン**」は中国の故事成語だ。（　）

9 故人の**イギョウ**をたたえる。（　）

10 不平等条約を**ゼセイ**する。（　）

11 **エンガワ**に座ってスイカを食べた。（　）

12 忠告を聞き入れずに**ガ**を通す。（　）

13 ベランダでふとんを**ホ**す。（　）

14 ジョギングして軽く**アセ**をかいた。（　）

15 大木の**ミキ**に寄りかかる。（　）

16 待望の赤ちゃんを**サズ**かった。（　）

17 山の**ミネ**伝いに歩く。（　）

18 害虫に強い**イネ**を育てる。（　）

19 おやつに**アマ**い菓子を食べた。（　）

20 山頂から大声で**サケ**ぶ。（　）

4級

第8回★テスト（60分）

◇合計点◇

（200点満点の　　点）

● 140点以上
合格

● 110点以上
合格まであと一歩

● 80点以上
さらに努力を

● 79点以下
受検級を考え直しましょう

1×30

/30

（一）次の――線の**漢字の読み**を**ひらがな**で記せ。

1 海外の寺院の壁画を見て回る。（　）
2 昔のことをよく記憶している。（　）
3 砲火をくぐって基地にもどった。（　）
4 注意すべき言葉に傍点を打つ。（　）
5 鼻音をうまく発音できた。（　）
6 図書館で鳥類図鑑を借りた。（　）
7 十月初旬に旅行を計画している。（　）
8 漫談みたいな授業で人気だ。（　）
9 噴水がライトで照らされ美しい。（　）
10 寝坊して母にしかられた。（　）
11 面接試験の感触は良かった。（　）
12 臣下に恩沢をほどこす。（　）
13 地域産業を振興する。（　）
14 貧相な身なりで気が引ける。（　）
15 捕手を長く続けて腰をいためた。（　）
16 遠方に見事な主峰を望む。（　）
17 日本代表が海外遠征に出発した。（　）
18 道路の拡幅工事が進んでいる。（　）
19 チームの士気を鼓舞する。（　）
20 手厚い介抱を受ける。（　）
21 この暑さに気が狂いそうだ。（　）
22 家族で正月を雑煮で祝う。（　）

23 連休は天候に恵まれた。（　　）
24 地響きを立てて戦車が通る。（　　）
25 米を研いで母の帰宅を待つ。（　　）
26 健やかに子供が育った。（　　）
27 意見が賛成に傾いた。（　　）
28 分厚い本のページを繰る。（　　）
29 不安に駆られて病院へ行った。（　　）
30 名残おしいがお別れだ。（　　）

2×15
/30

(二)

次の――線のカタカナにあてはまる漢字をそれぞれのア～オから一つ選び、記号を記せ。

1 天皇皇ゴウ両陛下にあいさつした。□
2 集中ゴウ雨が町を襲った。□
3 のんびりと水ゴウを舟で巡る。□
（ア豪　イ后　ウ号　エ合　オ郷）

4 学期末の考サを行う。□
5 サ丘でラクダに乗った。□
6 銀行の支店が閉サされた。□
（ア砂　イ鎖　ウ査　エ差　オ作）

7 身のこなしがセン練されている。□
8 利益を独センする。□
9 新センな野菜を食べる。□
（ア鮮　イ線　ウ選　エ占　オ洗）

10 さくに有シ鉄線を張りめぐらす。□
11 夏のシ外線を防ぐ。□
12 合成樹シの食器を使う。□
（ア紫　イ士　ウ刺　エ脂　オ始）

13 優秀な新入社員を五人トった。□
14 建設会社で事務をトっている。□
15 三人がかりでへびをトらえた。□
（ア取　イ執　ウ捕　エ解　オ採）

(三)

2×5 ／10

1～5の三つの□に**共通する漢字**を入れて熟語を作れ。漢字は**ア～コ**から**一つ**選び、**記号**を記せ。

1 背□・気□・大□夫（　）

2 事□・□目・別□（　）

3 □口・重□・中□（　）

4 □顔・談□・冷□（　）

5 重□・□語・石□（　）

ア 実	イ 畳	ウ 侵	エ 心	オ 笑
カ 初	キ 項	ク 焼	ケ 傷	コ 丈

(四)

2×10 ／20

熟語の構成のしかたには次のようなものがある。

ア 同じような意味の漢字を重ねたもの（**身体**）

イ 反対または対応の意味を表す字を重ねたもの（**浮沈**）

ウ 上の字が下の字を修飾しているもの（**必要**）

エ 下の字が上の字の目的語・補語になっているもの（**始業**）

オ 上の字が下の字の意味を打ち消しているもの（**不明**）

次の熟語は右の**ア～オ**のどれにあたるか、**一つ**選び、**記号**を記せ。

1 文豪（　）

2 堅固（　）

3 就任（　）

4 健脚（　）

5 送迎（　）

6 更改（　）

7 未熟（　）

8 愛称（　）

9 抜糸（　）

10 攻守（　）

1×10

/10

(五)

次の漢字の**部首**を**ア～エ**から**一つ**選び、**記号にマーク**せよ。

1 慢（ア 罒　イ 又　ウ 忄　エ 日）
2 舗（ア 舌　イ 人　ウ 口　エ 土）
3 真（ア 八　イ 一　ウ 丨　エ 目）
4 盆（ア 一　イ 皿　ウ 刀　エ 八）
5 暴（ア 二　イ 氺　ウ 日　エ 曰）
6 夢（ア 罒　イ 冖　ウ 夕　エ 艹）
7 凡（ア 丶　イ ノ　ウ し　エ 几）
8 壁（ア 土　イ 辛　ウ 立　エ 口）
9 幅（ア 田　イ 巾　ウ 口　エ 丨）
10 鼻（ア 鼻　イ 自　ウ 田　エ 一）

2×10

/20

(六)

後の□内のひらがなを漢字に直して□に入れ、**対義語・類義語**を作れ。□内のひらがなは一度だけ使い、**一字記入**せよ。

対義語

1 自白－黙□
2 豊作－□作
3 安楽－苦□
4 接近－離□
5 相違－一□

類義語

6 名誉－□光
7 麗句－美□
8 発覚－露□
9 永遠－□久
10 支度－□備

えい・きょう・けん・こう・じ
じゅん・だつ・ち・つう・ひ

(七) 2×5 /10

次の――線のカタカナを漢字一字と送りがな(ひらがな)に直せ。

〈例〉字をオシエル。 教える

1 中学生にとってはヤサシイ問題だ。( )
2 文字のまわりを赤い線でカコム。( )
3 マラソン大会でタオレルようにゴールする。( )
4 ツツシミ深くふるまう。( )
5 外に出るとあまりの寒さにフルエル。( )

(八) 2×10 /20

文中の四字熟語の――線のカタカナを漢字に直せ。( )内に一字記入せよ。

1 一心不ランに受験勉強をする。( )
2 大ザン鳴動してねずみ一匹。( )
3 性格は単純で直情ケイ行である。( )
4 異ク同音に反対を唱える。( )
5 人跡ミ踏の地に足をふみ入れる。( )
6 道路工事が昼夜兼コウで行われた。( )
7 トウ意即妙のやりとりをする。( )
8 君子三カイの教えを守る。( )
9 戦国時代はまさに群雄割キョな世の中だ。( )
10 好機トウ来とばかりに攻め立てる。( )

(九) 2×5 /10

次の各文にまちがって使われている同じ読みの漢字が一字ある。( )内の上に誤字を、下に正しい漢字を記せ。

1 財界が内臓する諸問題は深刻であり適切な処置が期待されている。(・)

2 独想性に定評のある著名な画家の展覧会を友人と共に見に行った。（・）

3 遺産相族について親類縁者と弁護士が集まり状況を確認し合った。（・）

4 業界最大手の当社も不況による業績悪化で尊亡の危機を迎えた。（・）

5 昨日の台風による雨で川が増水し通状の水位を大分上回っていた。（・）

(十) 次の――線のカタカナを漢字に直せ。

2×20 /40

1 手紙の最後に**ケイグ**と書く。（）

2 違反者には**バツ**を与える。（）

3 **トウブン**の少ない物を食べる。（）

4 単身で**テキチ**に乗りこんだ。（）

5 家の**ショウジ**張りを手伝う。（）

6 **コクルイ**の生産量が多い。（）

7 父は製造**コウテイ**を管理している。（）

8 法隆寺《ほうりゅうじ》の五重**トウ**は世界遺産だ。（）

9 大雨で川が**ダクリュウ**となっている。（）

10 言葉の意味を**タンネン**に調べる。（）

11 **リンジン**に引っ越しのあいさつをした。（）

12 **イド**が高くなると気温は下がる。（）

13 映画の**スジ**を教えてもらう。（）

14 友と**キソ**い合って技をみがく。（）

15 卒業生に**サチ**多かれと祈る。（）

16 桜が**サ**いたのでお花見に出かける。（）

17 **オドロ**くほど成績が上がった。（）

18 **メズラ**しい虫を捕まえる。（）

19 ビルの**アトチ**が公園になった。（）

20 会社の**エラ**い人が家に来た。（）

4級

第9回★テスト（60分）

◇合計点◇

（200点満点の　　点）

- 140点以上 合格
- 110点以上 合格まであと一歩
- 80点以上 さらに努力を
- 79点以下 受検級を考え直しましょう

1×30 ／30

（一）次の――線の漢字の読みをひらがなで記せ。

1 寒波が猛威をふるう。（　　）
2 発言の内容が矛盾している。（　　）
3 痛烈な批判を甘受する。（　　）
4 腹に力を入れて謡曲をうたう。（　　）
5 一度聞いた名前を忘失している。（　　）
6 親切な心配りに恐縮した。（　　）
7 遠くで雷鳴が聞こえる。（　　）
8 交代で仮眠をとり夜勤をする。（　　）
9 わが家の家紋を調べる。（　　）
10 世界中に情報網を張りめぐらす。（　　）
11 四国巡礼の旅に出る。（　　）
12 インド舞踊は優雅である。（　　）
13 濃厚な味つけは口に合わない。（　　）
14 ご所望の品をお持ちしました。（　　）
15 躍進を続ける町でありたい。（　　）
16 なんとも妙な話が伝わる。（　　）
17 繁茂する夏草をかり取る。（　　）
18 事故で致命傷を負う。（　　）
19 少年時代の秘密を暴露する。（　　）
20 富士の雄姿を写真にとる。（　　）
21 庭のさつきが枯れてしまった。（　　）
22 迷惑はお互い様というものだ。（　　）

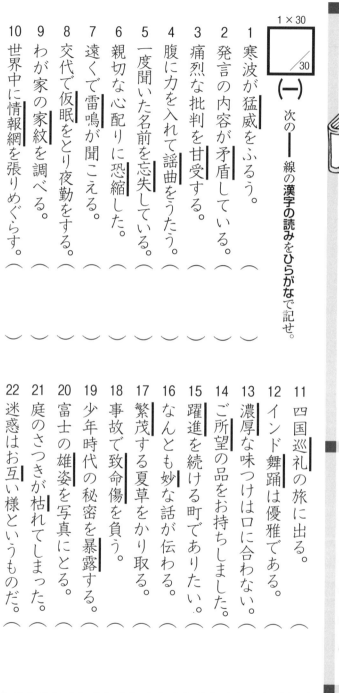

23 守るより攻めるほうが得意だ。（　　）
24 他人にあれこれと気を遣う。（　　）
25 己をよく知ることが大切だ。（　　）
26 故あってふるさとを離れた。（　　）
27 誇らかに母校のことを語る。（　　）
28 畑を荒らすクマを撃った。（　　）
29 迎えの車を手配した。（　　）
30 大和だましいで世界戦を戦う。（　　）

2×15
／30

(二)

次の――線のカタカナにあてはまる漢字をそれぞれのア～オから一つ選び、記号を記せ。

1 シュウ教の成り立ちについて学ぶ。
2 大型台風が来シュウする。
3 シュウ得物を交番に届ける。
（ア襲　イ収　ウ舟　エ拾　オ宗）

4 二十四色の色エン筆を買う。
5 救エン物資を輸送する。
6 エン日の夜店を見て回る。
（ア縁　イ鉛　ウ遠　エ援　オ延）

7 会場をジュウ横に動き回る。
8 ジュウ道の練習にはげむ。
9 野ジュウの本性が現れる。
（ア住　イ縦　ウ獣　エ柔　オ重）

10 階段で転トウし骨折してしまった。
11 湖水は高いトウ明度を誇る。
12 兄と五重トウに上る。
（ア等　イ塔　ウ倒　エ透　オ統）

13 開会寸前に会場にカけこむ。
14 常識にカける行いだ。
15 弓矢を持ってカりに行く。
（ア欠　イ替　ウ借　エ狩　オ駆）

2×5
/10

(三)

1～5の三つの□に**共通する漢字**を入れて熟語を作れ。漢字は**ア～コ**から**一つ**選び、**記号**を記せ。

1 足□・形□・□目（　）

2 □形・□子・□状地（　）

3 □金・長□・□箱（　）

4 □座・明□・黒□（　）

5 水□・陸□・□妻（　）

ア 針　イ 親　ウ 青　エ 扇　オ 稲
カ 物　キ 星　ク 礼　ケ 跡　コ 波

2×10
/20

(四)

熟語の構成のしかたには次のようなものがある。

ア 同じような意味の漢字を重ねたもの（**身体**）
イ 反対または対応の意味を表す字を重ねたもの（**浮沈**）
ウ 上の字が下の字を修飾しているもの（**必要**）
エ 下の字が上の字の目的語・補語になっているもの（**始業**）
オ 上の字が下の字の意味を打ち消しているもの（**不明**）

次の熟語は右の**ア～オ**のどれにあたるか、**一つ**選び、**記号**を記せ。

1 執務（　）
2 尾翼（　）
3 積載（　）
4 香水（　）
5 雌雄（　）
6 改心（　）
7 断裁（　）
8 路傍（　）
9 未婚（　）
10 夫妻（　）

(五) 次の漢字の**部首**を**ア〜エ**から**一つ**選び、**記号にマーク**せよ。

1×10 /10

1 矛（ア亅 イノ ウ子 エ矛）
2 誉（ア言 イ八 ウ一 エ⺍）
3 美（ア大 イ人 ウ羊 エ王）
4 望（アエ イ王 ウ月 エ亡）
5 報（ア又 イ土 ウ辛 エ卩）
6 与（ア一 イ二 ウ勹 エ力）
7 黙（ア犬 イ里 ウ黒 エ灬）
8 雄（ア厶 イ隹 ウノ エ匚）
9 翼（ア羽 イ八 ウ二 エ田）
10 霧（ア夂 イ矛 ウ雨 エ力）

(六) 後の□内のひらがなを漢字に直して□に入れ、**対義語・類義語**を作れ。□内のひらがなは一度だけ使い、**一字記入**せよ。

2×10 /20

対義語

1 強制－□意
2 能書－悪□
3 在宅－□守
4 屈服－□抗
5 出発－到□

類義語

6 黙認－看□
7 冒頭－□初
8 服従－隷□
9 切除－□出
10 多量－□山

か・さい・ぞく・たく・てい
てき・ちゃく・にん・ひつ・る

2×5

/10

(七) 次の――線のカタカナを漢字一字と送りがな(ひらがな)に直せ。

〈例〉字をオシエル。 教える

1 電話番号をタシカメル。（　）
2 タオルをカワカシて戸だなにしまう。（　）
3 質問は先生にタズネてから答える。（　）
4 アザヤカナ色づかいに感動する。（　）
5 台風の後は海の水がニゴル。（　）

2×10

/20

(八) 文中の四字熟語の――線のカタカナを漢字に直せ。(　)内に一字記入せよ。

1 出ショ進退を明らかにする。（　）
2 晴コウ雨読の毎日をすごす。（　）
3 完全無ケツの人などいない。（　）
4 千紫万コウの花だんを楽しむ。（　）
5 一部始ジュウを物語る。（　）
6 信賞ヒツ罰で組織を動かす。（　）
7 七テン八倒の苦しみ方だ。（　）
8 粉ショク決算を行い逮捕《たいほ》される。（　）
9 善リン友好を強化する。（　）
10 ケン愛無私の精神で人に接する。（　）

2×5

/10

(九) 次の各文にまちがって使われている同じ読みの漢字が一字ある。(　)内の上に誤字を、下に正しい漢字を記せ。

1 短調な生活に変化を加えるため先週から油絵教室に通い始めた。（　・　）

2 競争入札を前に関係者が集まって団合を行ったことが問題になった。（　・　）

3 学生時代から書き続けた日記張は思い出に出合える大切な宝物だ。（　・　）

4 新居で生活するために必要な丁度品を買いそろえ引っ越しに備える。（　・　）

5 希代の名優の主演作は見る者の胸を撃つ名作ばかりで色あせない。（　・　）

2×20 ／40

(十) 次の――線のカタカナを漢字に直せ。

1 旅行の持ち物を**レッキョ**する。（　）

2 雨は**サクバン**から降っている。（　）

3 恩師からの手紙を**ハイジュ**した。（　）

4 注文の品を明日**ノウヒン**する。（　）

5 **ニンシキ**を新たにすべきだ。（　）

6 試合のため週末ごとに**エンセイ**する。（　）

7 ダム建設の**ゼヒ**を論じる。（　）

8 弟は**コウキシン**が強いたちだ。（　）

9 両親から多大な**エイキョウ**を受けた。（　）

10 朝から**ビネツ**が続く。（　）

11 **ギョウギ**の良さをほめられた。（　）

12 **コウハイ**とお昼ご飯を食べる。（　）

13 荷物をひもで**ユ**わえた。（　）

14 名古屋を**ヘ**て京都に至る。（　）

15 妹達と**ワラベ**歌を歌う。（　）

16 **キヌ**の着物をあつらえる。（　）

17 おそるおそるカブトムシに**サワ**る。（　）

18 **オモムキ**のある宿に泊まる。（　）

19 恋人への**オク**り物を選ぶ。（　）

20 しっかりと子どもの手を**ニギ**る。（　）

4級

第10回★テスト(60分)

◇合計点◇

200点満点の
点

- 140点以上
合格
- 110点以上
合格まであと一歩
- 80点以上
さらに努力を
- 79点以下
受検級を考え直しましょう

1×30

/30

(一)

次の――線の**漢字の読み**を**ひらがな**で記せ。

1 速球を痛烈にはじき返す。（　　）
2 富士山の秀麗な姿をあおぐ。（　　）
3 新聞の投書欄がおもしろい。（　　）
4 一族郎党を引き連れる。（　　）
5 卵黄を使ってお菓子を作る。（　　）
6 近隣外交を大切にする。（　　）
7 だれにも隷従することはない。（　　）
8 亡命者の話を聞き落涙する。（　　）
9 劣悪な労働条件で働く。（　　）
10 弱者にも配慮する必要がある。（　　）
11 武家政権が幕府を開いた。（　　）
12 話を聞いて一驚した。（　　）
13 離散した家族が再会した。（　　）
14 思いを胸裏に秘める。（　　）
15 悲恋の物語に涙を流す。（　　）
16 短絡的な考え方を改める。（　　）
17 年齢制限のないクラブに入る。（　　）
18 設立趣意書に署名する。（　　）
19 技術開発に寄与する。（　　）
20 かつては豪腕で鳴らした投手だ。（　　）
21 うかつな言動を慎む。（　　）
22 おくり物にカードを添える。（　　）

23 心を込めて料理を作る。（　　）
24 明朝伺うつもりです。（　　）
25 座り心地のよいベンチだ。（　　）
26 服地を裁って上着をぬう。（　　）
27 久しぶりに絵筆を執った。（　　）
28 いかの刺身を注文した。（　　）
29 かわいい雌の子犬をもらった。（　　）
30 若人に人気のある街を歩く。（　　）

2×15 □ /30

(二) 次の――線の**カタカナ**にあてはまる漢字をそれぞれの**ア～オ**から**一つ**選び、**記号**を記せ。

1 原文と**ショウ**合する。
2 **ショウ**細な説明を受ける。
3 両親に友人を**ショウ**介する。
（ア 証　イ 紹　ウ 照　エ 招　オ 詳）

4 大雨により床上まで**シン**水した。
5 食欲不**シン**におちいる。
6 午後十時に就**シン**した。
（ア 針　イ 寝　ウ 振　エ 侵　オ 浸）

7 絶**キョウ**して助けを求める。
8 犯人から**キョウ**器を奪《うば》う。
9 野球の実**キョウ**放送を聞く。
（ア 協　イ 況　ウ 共　エ 叫　オ 凶）

10 クレーンが電線と接**ショク**する。
11 服**ショク**費を経費として計上する。
12 エビの養**ショク**を手掛《が》けている。
（ア 飾　イ 植　ウ 触　エ 殖　オ 食）

13 希望した仕事に**ツ**けた。
14 いつまでも話題が**ツ**きない。
15 信頼して隊長に**ツ**き従う。
（ア 付　イ 積　ウ 着　エ 就　オ 尽）

2×5

/10

(三)

1～5の三つの□に**共通する漢字**を入れて熟語を作れ。漢字は**ア～コ**から**一つ**選び、**記号**を記せ。

1 □雪・冷□・□水魚（　　）

2 □配・□番・□刻（　　）

3 □先・弁□・□戦（　　）

4 遠□・□学・□手（　　）

5 片□・□正・道□（　　）

ア 心	イ 端	ウ 化	エ 舌	オ 淡
カ 手	キ 足	ク 遅	ケ 方	コ 浅

2×10

/20

(四)

熟語の構成のしかたには次のようなものがある。

ア 同じような意味の漢字を重ねたもの　（**身体**）

イ 反対または対応の意味を表す字を重ねたもの　（**浮沈**）

ウ 上の字が下の字を修飾しているもの　（**必要**）

エ 下の字が上の字の目的語・補語になっているもの　（**始業**）

オ 上の字が下の字の意味を打ち消しているもの　（**不明**）

次の熟語は右の**ア～オ**のどれにあたるか、**一つ**選び、**記号**を記せ。

1 暮春（　）

2 瞬時（　）

3 非運（　）

4 傾斜（　）

5 取捨（　）

6 猛獣（　）

7 就寝（　）

8 静寂（　）

9 授受（　）

10 抜歯（　）

1×10　／10

(五) 次の漢字の**部首**を**ア〜エ**から**一つ**選び、**記号にマーク**せよ。

1 慮（ア 心　イ 田　ウ 广　エ 虍）

2 隣（ア 米　イ 舛　ウ 夕　エ 阝）

3 隷（ア 示　イ 士　ウ 隶　エ 氺）

4 烈（ア 歹　イ 灬　ウ 刂　エ 夕）

5 暦（ア 曰　イ 日　ウ 木　エ 厂）

6 麗（ア 匕　イ 丶　ウ 广　エ 鹿）

7 療（ア 疒　イ 大　ウ 小　エ 日）

8 劣（ア 丿　イ 力　ウ 小　エ 亅）

9 齢（ア 米　イ 止　ウ 歯　エ 入）

10 惑（ア 口　イ 弋　ウ 戈　エ 心）

2×10　／20

(六) 後の□内のひらがなを漢字に直して□に入れ、**対義語・類義語**を作れ。□内のひらがなは一度だけ使い、**一字記入**せよ。

対義語

1 自立－依□

2 集中－散□

3 乱暴－□和

4 敏感－□感

5 冒頭－末□

類義語

6 陰口－□傷

7 旗色－□勢

8 納得－合□

9 貯金－□財

10 土手－□防

けい・そん・ちく・ちゅう・てい
てん・どん・にゅう・び・まん

2×5 ／10

(七) 次の——線のカタカナを漢字一字と送りがな(ひらがな)に直せ。

〈例〉字をオシエル。 教える

1 あいまいな証言をウタガウ。（　　）
2 アブナイ場所には近づかない。（　　）
3 現状をナゲク前に出来ることをしなさい。（　　）
4 花もハジラウお年ごろ。（　　）
5 イカリを海にシズメル。（　　）

2×10 ／20

(八) 文中の四字熟語の——線のカタカナを漢字に直せ。(　)内に一字記入せよ。

1 パソコンを二束三モンで売り払う。（　　）
2 ズ寒足熱は体にいいらしい。（　　）
3 絶タイ絶命のピンチに立つ。（　　）
4 全く笑シ千万な言い分だ。（　　）
5 それでは大義メイ分が立たない。（　　）
6 三寒四オンをくり返し、春が来る。（　　）
7 新シン気鋭のデザイナーが登場した。（　　）
8 光サイ陸離たる海辺の景色。（　　）
9 公序良ゾクに違反してはならない。（　　）
10 サイ月不待を肝《きも》に銘《めい》じて行動せよ。（　　）

2×5 ／10

(九) 次の各文にまちがって使われている同じ読みの漢字が一字ある。(　)内の上に誤字を、下に正しい漢字を記せ。

1 両国は相手の政策を非難するばかりで事態は一向に進転しない。（　・　）

2 本社の移転計画に反対意見が出て統論になり決定には至らなかった。（・）

3 試験の結果会社が希望する人材に摘合していると認められ採用された。（・）

4 会員になると使用料の割引等の特点があり利用者に大変好評だ。（・）

5 家族や親形の期待に応えて一人前の板前になり夢だった店を持った。（・）

2×20

40

(十) 次の――線のカタカナを漢字に直せ。

1 ガラスの**ハヘン**でけがをした。（　）

2 記念行事の**フクアン**を述べる。（　）

3 隣国の大統領が**トウチャク**した。（　）

4 **ドクゼン**的な考え方を改める。（　）

5 手続きを**カンソ**化する。（　）

6 電池を**ヘイレツ**につなぐ。（　）

7 **フダン**の生活態度を改める。（　）

8 **ドウヨウ**を聞くと小さいころを思い出す。（　）

9 近所の化学工場が**バクハツ**した。（　）

10 本を図書館に**キゾウ**する。（　）

11 スタジアムは**カンセイ**に包まれた。（　）

12 専門家に書籍《せき》の**カンシュウ**をお願いする。（　）

13 空港の売店でお**ミヤゲ**を買う。（　）

14 父母の期待に**ソム**く。（　）

15 くちびるに**ベニ**をさす。（　）

16 混雑する時間を**サ**けて通学する。（　）

17 母の容体は今夜が**トウゲ**らしい。（　）

18 木綿を使って美しい布を**オ**る。（　）

19 **オガ**むようにして頼み込む。（　）

20 桜の花びらが**マ**っていた。（　）

4級

第11回★テスト（60分）

◇合計点◇

200点満点の　　　点

- 140点以上　合格
- 110点以上　合格まであと一歩
- 80点以上　さらに努力を
- 79点以下　受検級を考え直しましょう

1×30　　/30

(一) 次の――線の**漢字の読み**を**ひらがな**で記せ。

1 露骨にいやがらせをする。（　）
2 だれもが認める鋭利な頭脳だ。（　）
3 成績は上位を維持している。（　）
4 海辺で療養生活を送る。（　）
5 チョウの羽化を観察する。（　）
6 初対面の人と握手する。（　）
7 農薬で病害虫を撃退する。（　）
8 母校のチームの応援に行く。（　）
9 深みのある陰影で絵が引き立つ。（　）
10 ビルの偉容を写真に収める。（　）
11 事件の経緯をたどる。（　）
12 満票で当選し優越感にひたる。（　）
13 事業を人に任せて隠居する。（　）
14 思いがけない福音が舞いこむ。（　）
15 煙雨の中を小走りに急ぐ。（　）
16 にらみあいは依然として続く。（　）
17 ダイヤモンドを採掘する。（　）
18 雨を人為的に降らす。（　）
19 山中の一軒家に宿を借りる。（　）
20 威厳に満ちた態度で応対する。（　）
21 声に寂をきかして話す。（　）
22 いつの間にか日が斜めになる。（　）

23 学校新聞に記事を載せる。（　　）
24 柔らかい身のこなしの人だ。（　　）
25 冷たい水に手を浸す。（　　）
26 試しに気球に乗ってみたい。（　　）
27 人質を盾に強気に出る。（　　）
28 家族でぶどう狩りに出かける。（　　）
29 やかんの湯が煮え立つ。（　　）
30 勝敗の行方は五分と五分だ。（　　）

2×15

/30

(二)

次の――線のカタカナにあてはまる漢字をそれぞれのア～オから一つ選び、記号を記せ。

1 タイ熱食器をレンジに入れる。□
2 職場の制服はタイ与されたものだ。□
3 上司の指示で代タイ品を用意する。□
（ア退　イ替　ウ耐　エ態　オ貸）

4 セイ大な拍手で卒業生を見送る。□
5 エベレストをセイ服する。□
6 書類にセイ名を記入する。□
（ア精　イ製　ウ盛　エ姓　オ征）

7 ハトは平和の象チョウだ。□
8 山チョウで記念写真をとる。□
9 体操のチョウ馬を練習する。□
（ア調　イ頂　ウ跳　エ徴　オ鳥）

10 平和のためにジン力する。□
11 防衛用のジン地を築く。□
12 弁護士によるジン問が行われた。□
（ア陣　イ尋　ウ神　エ仁　オ尽）

13 コいお茶を飲んで眠気を覚ます。□
14 心をコめて手紙を書く。□
15 ハードルを飛びコえる。□
（ア越　イ肥　ウ濃　エ込　オ来）

2×5
/10

(三) 1～5の三つの□に**共通する漢字**を入れて熟語を作れ。漢字は**ア～コ**から**一つ**選び、**記号**を記せ。

1 □色・白□・□源郷（　　）

2 湯□・□堂・□様（　　）

3 □章・鉄□・□木（　　）

4 □買・□裁・□間（　　）

5 □草・□詩・□紙（　　）

ア 気　イ 唐　ウ 腕　エ 桃　オ 薬
カ 価　キ 殿　ク 特　ケ 水　コ 仲

2×10
/20

(四) **熟語の構成**のしかたには次のようなものがある。

ア 同じような意味の漢字を重ねたもの（**身体**）
イ 反対または対応の意味を表す字を重ねたもの（**浮沈**）
ウ 上の字が下の字を修飾しているもの（**必要**）
エ 下の字が上の字の目的語・補語になっているもの（**始業**）
オ 上の字が下の字の意味を打ち消しているもの（**不明**）

次の熟語は右の**ア～オ**のどれにあたるか、**一つ**選び、**記号**を記せ。

1 畳語（　）　2 舞踊（　）　3 縦横（　）
4 整髪（　）　5 乗降（　）　6 未明（　）
7 詳細（　）　8 渡河（　）　9 比較（　）
10 寝台（　）

(五)

1×10 /10

次の漢字の**部首**を**ア～エ**から**一つ**選び、**記号にマーク**せよ。

1 表（ア 一　イ 土　ウ ノ　エ 衣）
2 威（ア 女　イ 戈　ウ 厂　エ ノ）
3 隠（ア 心　イ ⺍　ウ ⺤　エ 阝）
4 越（ア 戈　イ 丶　ウ 走　エ 土）
5 影（ア 曰　イ 彡　ウ 小　エ 口）
6 両（ア 冂　イ 山　ウ 一　エ 巾）
7 為（ア 灬　イ 入　ウ ノ　エ 丶）
8 養（ア 食　イ 八　ウ 八　エ 羊）
9 壱（ア 冖　イ 士　ウ 匕　エ 二）
10 芋（ア 艹　イ 二　ウ 十　エ 亅）

(六)

2×10 /20

後の□内のひらがなを漢字に直して□に入れ、**対義語・類義語**を作れ。□内のひらがなは一度だけ使い、**一字記入**せよ。

対義語

1 忘却－□憶
2 建設－□壊
3 結合－分□
4 直系－□系
5 急性－□性

類義語

6 価格－値□
7 介護－□護
8 上品－□美
9 薄情－冷□
10 最高－□群

かん・き・たん・だん・は
ばつ・ぼう・まん・ゆう・り

2×5
/10
(七) 次の——線のカタカナを漢字一字と送りがな(ひらがな)に直せ。

〈例〉字をオシエル。 教える

1 向かい風にサカラッて進む。( )
2 団長が団員をヒキイル。( )
3 友人に本をココロヨク貸した。( )
4 ノガシた魚は大きい。( )
5 前回の失敗をフマエて行動する。( )

2×10
/20
(八) 文中の四字熟語の——線のカタカナを漢字に直せ。( )内に一字記入せよ。

1 タン刀直入に申し上げる。( )
2 一日千シュウの思いで待つ。( )
3 交通事故は日常サ飯のことだ。( )
4 一挙リョウ得の作戦を実行する。( )
5 熟慮ダン行で事業を成功させた。( )
6 モン外不出の宝物を見る。( )
7 品行ホウ正なしっかりとした人だ。( )
8 山シ水明の景色を写真にとる。( )
9 色即ゼ空を信条とする。( )
10 文章の基本は起ショウ転結だ。( )

2×5
/10
(九) 次の各文にまちがって使われている同じ読みの漢字が一字ある。( )内の上に誤字を、下に正しい漢字を記せ。

1 尊敬する作家に俳顔する機会を得て貴重な体験談を聞くことができた。(・)

2 長引く経済の低迷による不況が我が家の家計にまで派及し始めた。（・）

3 迫愛の精神を提唱する当世の国王は全国民の信望と尊敬を得ている。（・）

4 功罪相半ばする人物の処分は内情に精通した関係者で反断すべきだ。（・）

5 書き入れ時の年末商戦で多忙を極め家地につくのは毎日夜中である。（・）

(十)

2×20

/40

次の――線のカタカナを漢字に直せ。

1 全国大会の決勝戦でカツヤクした。（）

2 費用はイッサイかからない。（）

3 見送りに来た友人とアクシュして別れた。（）

4 新興国とドウメイを結ぶ。（）

5 書類のマイスウを確かめる。（）

6 試合でチームがレッセイに立たされる。（）

7 犯行現場にはシモンが残っていた。（）

8 キョウゲンは日本の伝統芸能だ。（）

9 ボウシをかぶって出かける。（）

10 周囲の環境にハイリョする。（）

11 シンライしていた部下に裏切られた。（）

12 チンミをあてに酒を飲む。（）

13 気がスむまで待たせてほしい。（）

14 米ダワラをかついで運ぶ。（）

15 カイコがまゆをつくり始めた。（）

16 神社で守りフダをいただく。（）

17 友達とオニごっこをして遊ぶ。（）

18 ワタのような白い雲が浮かぶ。（）

19 日がクれてから家に帰る。（）

20 親の話をダマって聞く。（）

4級

第12回★テスト（60分）

◇合計点◇

（200点満点の　　　点）

- 140点以上　合格
- 110点以上　合格まであと一歩
- 80点以上　さらに努力を
- 79点以下　受検級を考え直しましょう

1×30　／30

（一）

次の――線の**漢字の読み**を**ひらがな**で記せ。

1 季節の和菓子を買う。（　）
2 周りがうるさくて安眠できない。（　）
3 注意点を箇条書きにする。（　）
4 雅楽は宮中に伝わった音楽だ。（　）
5 時間の都合で一部割愛する。（　）
6 かにの乱獲を禁止する。（　）
7 縁側でひなたぼっこをする。（　）
8 憶説を信じてはいけない。（　）
9 寸暇をおしんで勉強をする。（　）
10 予備の乾電池を買っておく。（　）
11 店は万引きへの警戒を強めた。（　）
12 汚名返上しようと努力する。（　）
13 化学の知識は皆無に等しい。（　）
14 息子は自我の強い子だ。（　）
15 山道に濃霧が立ちこめる。（　）
16 甘言につられてその気になる。（　）
17 発汗は体温の調節をうながす。（　）
18 工事で古い建物を破壊した。（　）
19 飛行機の尾翼を修理する。（　）
20 両国の間には難問が介在する。（　）
21 沼の周囲をサイクリングする。（　）
22 個人の自由を侵さない。（　）

23 年に一度の薪能が楽しみだ。（　）
24 いやな役を振り当てられた。（　）
25 桃は傷みの早いくだものだ。（　）
26 参加者のご意見を承る。（　）
27 着飾って成人式に出かける。（　）
28 居間の畳を張り替えた。（　）
29 財産が少しも殖えていない。（　）
30 町内に八百屋が開店した。（　）

(二)

2×15　/30

次の――線のカタカナにあてはまる漢字をそれぞれのア～オから一つ選び、記号を記せ。

1 魚群タン知機を見る。
2 署名を集めて助命をタン願する。
3 タン念にやかんの汚れを落とした。
（ア探　イ丹　ウ短　エ嘆　オ担）

4 港の周囲に防波テイを築く。
5 なんのテイ抗もなく受け入れた。
6 夏休みの宿題をテイ出する。
（ア停　イ定　ウ堤　エ提　オ抵）

7 欠点を指テキされる。
8 新車の乗り具合は快テキだ。
9 窓ガラスに水テキがついている。
（ア滴　イ的　ウ適　エ摘　オ笛）

10 二人の意見が一チした。
11 一時間目の授業にチ刻した。
12 はじしらずのことを無チという。
（ア恥　イ致　ウ置　エ知　オ遅）

13 的に向かって弓をイる。
14 イても立ってもいられない。
15 明日の午前中までに現金がイる。
（ア井　イ生　ウ要　エ射　オ居）

2×5

/10

(三)

1～5の三つの□に**共通する漢字**を入れて熟語を作れ。漢字は**ア～コ**から**一つ**選び、**記号**を記せ。

1 □着・肉□・□力粉（　　）

2 白□・□型・散□（　　）

3 □度・旅□・行□（　　）

4 □意・□役・不□（　　）

5 □車・□子・□手（　　）

ア 電	イ 敵	ウ 茶	エ 程	オ 得
カ 薄	キ 水	ク 拍	ケ 注	コ 髪

2×10

/20

(四)

熟語の構成のしかたには次のようなものがある。

ア 同じような意味の漢字を重ねたもの（**身体**）
イ 反対または対応の意味を表す字を重ねたもの（**浮沈**）
ウ 上の字が下の字を修飾しているもの（**必要**）
エ 下の字が上の字の目的語・補語になっているもの（**始業**）
オ 上の字が下の字の意味を打ち消しているもの（**不明**）

次の熟語は右の**ア～オ**のどれにあたるか、**一つ**選び、**記号**を記せ。

1 是非（　）
2 俗説（　）
3 汚濁（　）
4 皆勤（　）
5 樹齢（　）
6 正誤（　）
7 無尽（　）
8 代替（　）
9 耐震（　）
10 迎春（　）

1×10

/10

(五) 次の漢字の**部首**をア〜エから**一つ**選び、**記号にマーク**せよ。

1 暇（ア 日　イ 又　ウ 丨　エ 二）
2 戒（ア 弋　イ 戈　ウ 刂　エ 丶）
3 獲（ア 又　イ 艹　ウ 隹　エ 犭）
4 衛（ア 彳　イ 二　ウ 行　エ 口）
5 壊（ア 衣　イ 土　ウ 罒　エ 亠）
6 介（ア 人　イ 八　ウ 儿　エ ノ）
7 競（ア 口　イ 儿　ウ 立　エ 一）
8 皆（ア 匕　イ ノ　ウ 白　エ 土）
9 甘（ア 一　イ 凵　ウ 日　エ 甘）
10 乾（ア 日　イ し　ウ 十　エ 乙）

2×10

/20

(六) 後の□内のひらがなを漢字に直して□に入れ、**対義語・類義語**を作れ。□内のひらがなは一度だけ使い、**一字記入**せよ。

対義語

1 冷却－加□
2 野生－□育
3 定例－□時
4 鋭敏－鈍□
5 本名－通□

類義語

6 合格－及□
7 憶測－□量
8 失脚－□落
9 写生－□写
10 御殿－屋□

かん・し・しき・しょう・すい
だい・てん・ねつ・びょう・りん

2×5 /10

(七)

次の――線のカタカナを漢字一字と送りがな(ひらがな)に直せ。

〈例〉字をオシエル。　教える

1 子供のヤスラカナ寝顔をながめる。（　　）

2 旅のしたくをトトノエル。（　　）

3 頭をナヤマス学校行事がある。（　　）

4 幼いころの記憶がウスレル。（　　）

5 被害をコウムル前に逃げ出す。（　　）

2×10 /20

(八)

文中の四字熟語の――線のカタカナを漢字に直せ。(　)内に一字記入せよ。

1 セイ天白日の身となる。（　　）

2 大キ晩成型の人物だ。（　　）

3 他力本ガンはやめよう。（　　）

4 人メン獣心の極悪人を追い詰める。（　　）

5 名所キュウ跡をたずね歩く。（　　）

6 一望千リのながめを楽しむ。（　　）

7 ソク戦即決で勝利をおさめる。（　　）

8 弟の姿は失笑フン飯ものだった。（　　）

9 自ら率先垂ハンして手本を示す。（　　）

10 付和ライ同してばかりいてはだめだ。（　　）

2×5 /10

(九)

次の各文にまちがって使われている同じ読みの漢字が一字ある。(　)内の上に誤字を、下に正しい漢字を記せ。

1 祖父の代から旅館経営の幅業として小規模な美術館を経営している。（　・　）

2 県大会ではおしくも一回戦で敗退したが粉起して来年度に備えたい。（　・　）

3 政治家に対する大衆の否判は手厳しく無視することは許されない。（　・　）

4 台風で家屋が損害を受けた人びとは非痛な表情で後始末をしていた。（　・　）

5 絶版となり現在入手困難であるため先輩に借りていた漫画を帰す。（　・　）

(十)

2×20　／40

次の——線の**カタカナ**を**漢字**に直せ。

1 ピアノの**チョウリツ**を頼んだ。（　）

2 昨年に続き**キョウサク**となる見通しだ。（　）

3 景勝地を**ユウラン**する。（　）

4 会計は**メイロウ**に願いたい。（　）

5 **シボウ**を減らして筋肉をつける。（　）

6 鳥取県は**サキュウ**で有名だ。（　）

7 発展**トジョウ**国に援助をする。（　）

8 **センパイ**に指導してもらった。（　）

9 **キミョウ**な事件が起こった。（　）

10 新商品の**ハンバイ**に力を入れる。（　）

11 疲れたので今夜は早めに**シュウシン**する。（　）

12 適度な辛《から》さが食欲を**シゲキ**する。（　）

13 友人と**シメ**し合わせて抜け出す。（　）

14 赤ちゃんの**コモリ**を頼まれた。（　）

15 後ろ**スガタ**が父にそっくりだ。（　）

16 バスを**カ**り切って旅行する。（　）

17 待ちに待った春が**オトズ**れる。（　）

18 突然空が**ハイイロ**になる。（　）

19 **イタ**ってふつうの出来事だ。（　）

20 弱点を**オギナ**って余りある人材だ。（　）

4級

第13回★テスト（60分）

◇合計点◇

（200点満点の　　点）

- 140点以上 合格
- 110点以上 合格まであと一歩
- 80点以上 さらに努力を
- 79点以下 受検級を考え直しましょう

1×30

□ /30

（一）次の――線の**漢字の読み**を**ひらがな**で記せ。

1 提案は上司に却下された。（　）
2 専門家に本の監修を任せる。（　）
3 友人に匹敵するピッチャーはいない。（　）
4 起訴状が読み上げられた。（　）
5 寺の境内に屋台が出ていた。（　）
6 児戯に等しい行動はしない。（　）
7 古書の鑑定結果が出た。（　）
8 両親は共に健脚である。（　）
9 含蓄のある言葉を聞く。（　）
10 日本の位置を地球儀で確認する。（　）
11 砂丘を一歩一歩踏み進んだ。（　）
12 農奴が働かされた時代があった。（　）
13 授業で素描を基本から学ぶ。（　）
14 親友の死に号泣する。（　）
15 海浜の公園に野鳥がやってくる。（　）
16 新入生の歓迎会を開く。（　）
17 光輝ある母校の伝統を守る。（　）
18 国の平和と発展を祈願する。（　）
19 車の代金を割賦で払う。（　）
20 やっと及第点に達した。（　）
21 この時計はまだ使用に耐える。（　）
22 雨続きで川の水が濁っている。（　）

23 今夜は胸が騒いで眠れない。（　　）
24 路上で犯人を捕らえた。（　　）
25 皆に推されて学級委員になった。（　　）
26 被害者には誠を尽くす。（　　）
27 本腰を入れて取り組む。（　　）
28 スマッシュを鮮やかに決めた。（　　）
29 賛成意見が過半数を占めた。（　　）
30 最寄りの薬局で胃薬を買う。（　　）

2×15
/30

(二)

次の――線のカタカナにあてはまる漢字をそれぞれのア～オから一つ選び、記号を記せ。

1 レイ書は書体の一つである。□
2 美レイなイラストが描かれた小説を読む。□
3 高レイ者を大切にする。□
（ア礼　イ麗　ウ例　エ齢　オ隷）

4 フ段から健康に気を付ける。□
5 皮フ科で塗《ぬ》り薬をもらった。□
6 潮風で金属がフ食する。□
（ア富　イ膚　ウ普　エ腐　オ不）

7 議長が開会をセン言する。□
8 セン風機が故障した。□
9 教会でセン礼を受ける。□
（ア戦　イ線　ウ扇　エ洗　オ宣）

10 父は日本アルプスをトウ破した。□
11 ライバルにトウ争心を燃やす。□
12 現金のトウ難にあった。□
（ア盗　イ闘　ウ灯　エ討　オ踏）

13 チームの連勝は十でトまった。□
14 友人の家にトめてもらう。□
15 科学者の名言が心にトまる。□
（ア戸　イ留　ウ止　エ泊　オ取）

2×5
/10

(三) 1～5の三つの□に**共通する漢字**を入れて熟語を作れ。漢字はア～コから**一つ**選び、**記号**を記せ。

1 仕□・□曲・初□台（　）
2 相□・□角・交□（　）
3 □入・出□・□得（　）
4 □信・□路・□子（　）
5 寄□・欠□・□行（　）

ア 航　イ 事　ウ 納　エ 葉　オ 流
カ 自　キ 互　ク 特　ケ 舞　コ 迷

2×10
/20

(四) **熟語の構成**のしかたには次のようなものがある。

ア 同じような意味の漢字を重ねたもの（**身体**）
イ 反対または対応の意味を表す字を重ねたもの（**浮沈**）
ウ 上の字が下の字を修飾しているもの（**必要**）
エ 下の字が上の字の目的語・補語になっているもの（**始業**）
オ 上の字が下の字の意味を打ち消しているもの（**不明**）

次の熟語は右の**ア～オ**のどれにあたるか、**一つ**選び、**記号**を記せ。

1 帰途（　）
2 筆跡（　）
3 未踏（　）
4 城壁（　）
5 貯蓄（　）
6 噴火（　）
7 鎖国（　）
8 着脱（　）
9 断絶（　）
10 断続（　）

1×10

/10

(五)

次の漢字の**部首**をア〜エから**一つ**選び、**記号にマーク**せよ。

1 鬼（ア 儿　イ 田　ウ ム　エ 鬼）
2 含（ア 口　イ マ　ウ 入　エ 冫）
3 輝（ア 儿　イ 冖　ウ 車　エ 十）
4 環（ア 衣　イ 𤣩　ウ 口　エ 罒）
5 幾（ア 戈　イ 厂　ウ 丶　エ 幺）
6 奇（ア 大　イ 口　ウ 亅　エ 一）
7 蓄（ア 玄　イ 田　ウ 幺　エ 艹）
8 丘（ア ノ　イ 丨　ウ 一　エ 二）
9 及（ア ㇇　イ 又　ウ 人　エ ノ）
10 監（ア 臣　イ 皿　ウ ノ　エ 二）

2×10

/20

(六)

後の□内のひらがなを漢字に直して□に入れ、**対義語・類義語**を作れ。□内のひらがなは一度だけ使い、**一字記入**せよ。

対義語

1 抵抗－屈□
2 実況－□画
3 近時－□時
4 永遠－一□
5 新婦－新□

類義語

6 屈指－□数
7 傾向－風□
8 狂気－□心
9 栄光－名□
10 関連－脈□

おう・じゅう・しゅん・ちょう・ゆう
よ・らく・らん・ろう・ろく

2×5
/10

(七)

次の――線のカタカナを**漢字一字と送りがな(ひらがな)**に直せ。

〈例〉字をオシエル。 教える

1 チャンスがフタタビおとずれた。（　　）
2 親に隠し事をしてウシロメタイ。（　　）
3 花見でウカレてつい酒を飲みすぎる。（　　）
4 危険物の取りアツカイには注意すべし。（　　）
5 社会構造に大きな問題をカカエている。（　　）

2×10
/20

(八)

文中の**四字熟語**の――線の**カタカナ**を漢字に直せ。( )内に**一字記入**せよ。

1 どの作品も同エイ曲だ。（　　）
2 夜明けまでダン論風発が続いた。（　　）
3 しばらく現状維ジでいく。（　　）
4 交通事故で人事不セイにおちいる。（　　）
5 難攻不ラクの城を落とす。（　　）
6 離合シュウ散をくり返す。（　　）
7 自分の薄志ジャッ行を反省する。（　　）
8 社長には熟リョ断行が求められる。（　　）
9 自力コウ生するのにも限界がある。（　　）
10 友の武運長キュウを祈る。（　　）

2×5
/10

(九)

次の各文にまちがって使われている**同じ読みの漢字**が**一字**ある。( )内の**上に誤字**を、**下に正しい漢字**を記せ。

1 学生時代に起業して新商品開発に成攻し一流の会社に育て上げた。（　・　）

2 組合員は一方的に提示された労働条件に不満を唱え態度を捕留した。（　・　）

3 首相は会見の席で終始言葉少なく質問への回答では命言を避けた。（　・　）

4 相談にも気軽に応じ指導してくれる抱容力のある人が理想の上司だ。（　・　）

5 業績を拡大し海外進出する夢が敗れ心機一転やり直す所存です。（　・　）

2×20　　/40

(十)

次の――線の**カタカナ**を**漢字**に直せ。

1 親への**オン**は忘れない。（　）

2 **エンドウ**でマラソン選手を応援する。（　）

3 **キョダイ**なクジラの化石が発見された。（　）

4 水分が**ジョウハツ**してしまった。（　）

5 死に物狂いで**オウセン**した。（　）

6 墨《すみ》の**ノウタン**で絵を描く。（　）

7 花火の**バクハツ**音に犬がびっくりする。（　）

8 トラックで野菜を東京へ**ウンパン**する。（　）

9 工場には**エントツ**が林立していた。（　）

10 冬は空気が**カンソウ**している。（　）

11 **タイホウ**で敵の陣地を攻撃する。（　）

12 昼休みに**マンガ**雑誌を読む。（　）

13 **ツネ**日ごろの勉強が大切だ。（　）

14 やさしい**エ**みを浮かべる。（　）

15 実家の**アキナ**いは順調だ。（　）

16 大会を前に身の**チヂ**む思いがする。（　）

17 先生に遅刻の言い**ワケ**をする。（　）

18 新しい**タタミ**のいい香りがする。（　）

19 歓送会の**ハナタバ**を用意する。（　）

20 暗やみに**ケモノ**の声が聞こえる。（　）

4級

第14回★テスト（60分）

◇合計点◇

200点満点の　　点

- 140点以上　合格
- 110点以上　合格まであと一歩
- 80点以上　さらに努力を
- 79点以下　受検級を考え直しましょう

(一)

1×30　　/30

次の――線の**漢字の読み**を**ひらがな**で記せ。

1 米中の巨頭会談が行われた。（　　）
2 環境の保全に努める。（　　）
3 信頼できる友人を得た。（　　）
4 本から多くの恩恵を受ける。（　　）
5 写経をして心を落ち着かせる。（　　）
6 卒業後の近況を知らせる。（　　）
7 光の屈折を実験で学んだ。（　　）
8 ハイドンの交響楽をきく。（　　）
9 太陰暦を使った時代もあった。（　　）
10 仕事で外国語を駆使する。（　　）
11 丹頂が今年も飛来した。（　　）
12 事故の知らせに仰天する。（　　）
13 傾斜した土地に家を建てた。（　　）
14 長兄はもう社会人だ。（　　）
15 もうすぐ晩御飯だ。（　　）
16 首位との距離が縮まった。（　　）
17 つり上げたタイの魚拓を取る。（　　）
18 絶叫マシンを体験した。（　　）
19 旅客機が胴体着陸した。（　　）
20 意見に反対する根拠を示す。（　　）
21 先生が立派なひげを蓄えた。（　　）
22 明日からの旅行に胸が弾む。（　　）

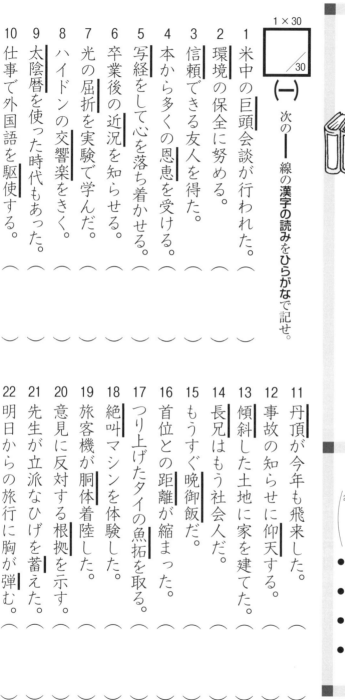

23 木の葉から雨の滴が落ちる。（　）
24 わが身の不運を嘆く。（　）
25 昼食を食べ損なった。（　）
26 みごとに三か国語を操る。（　）
27 秋空が澄んで心地がよい。（　）
28 秘密のベールを脱ぐ。（　）
29 プレッシャーを跳ね返す。（　）
30 紅葉おろしで水たきを食べる。（　）

2×15 /30

(二) 次の――線のカタカナにあてはまる漢字をそれぞれのア～オから一つ選び、記号を記せ。

1 閉会式で優勝ハイを授与される。
2 お手紙ハイ見いたしました。
3 後ハイの身の上相談に乗ってやる。
（ア背　イ輩　ウ杯　エ敗　オ拝）

4 問題の正解はフク数ある。
5 フク痛により学校を早退する。
6 道路のフク員を広げる。
（ア幅　イ復　ウ複　エ腹　オ福）

7 はっきりと色のノウ淡をつける。
8 苦ノウする主人公を描いた作品だ。
9 受注品のノウ期を確認する。
（ア濃　イ納　ウ農　エ能　オ悩）

10 空手の師ハンとして尊敬される。
11 市ハンの品で間に合わせる。
12 会場に機材をハン入する。
（ア販　イ班　ウ範　エ搬　オ判）

13 悲しくて胸がハりさけそうだ。
14 むかむかとハき気をもよおす。
15 長話がいつハてるともなく続く。
（ア張　イ晴　ウ果　エ栄　オ吐）

2×5

/10

(三) 1〜5の三つの□に**共通する漢字**を入れて熟語を作れ。漢字は**ア〜コ**から**一つ**選び、**記号**を記せ。

1 □紙・鉄□・□新聞（　　）

2 □志・□前・採□（　　）

3 □時・□言・破□（　　）

4 □先・□筋・□音（　　）

5 大□・□火・鉄□（　　）

ア 手	イ 寸	ウ 砲	エ 表	オ 壁
カ 型	キ 鼻	ク 直	ケ 口	コ 片

2×10

/20

(四) **熟語の構成**のしかたには次のようなものがある。

ア 同じような意味の漢字を重ねたもの　（**身体**）
イ 反対または対応の意味を表す字を重ねたもの　（**浮沈**）
ウ 上の字が下の字を修飾しているもの　（**必要**）
エ 下の字が上の字の目的語・補語になっているもの　（**始業**）
オ 上の字が下の字の意味を打ち消しているもの　（**不明**）

次の熟語は右の**ア〜オ**のどれにあたるか、**一つ**選び、**記号**を記せ。

1 激怒（　）
2 倒壊（　）
3 到達（　）
4 自他（　）
5 戦闘（　）
6 渡米（　）
7 進退（　）
8 離陸（　）
9 無為（　）
10 鉄塔（　）

第14回

(五)

1×10　／10

次の漢字の**部首**を**ア～エ**から**一つ**選び、**記号にマーク**せよ。

1 恐（ア 几　イ 心　ウ 工　エ 丶）
2 屈（ア 中　イ 山　ウ 丨　エ 尸）
3 義（ア 羊　イ 戈　ウ 弋　エ 扌）
4 驚（ア 馬　イ 勹　ウ 攵　エ 灬）
5 響（ア 艮　イ 阝　ウ 音　エ 立）
6 巨（ア 匚　イ 工　ウ 口　エ 丨）
7 幹（ア 干　イ 八　ウ 十　エ 日）
8 疑（ア 匕　イ 矢　ウ 丶　エ 疋）
9 恵（ア 丨　イ 田　ウ 心　エ 一）
10 堅（ア 士　イ 土　ウ 臣　エ 又）

(六)

2×10　／20

後の□内のひらがなを漢字に直して□に入れ、**対義語・類義語**を作れ。□内のひらがなは一度だけ使い、**一字記入**せよ。

対義語

1 恒星―□星
2 反抗―□従
3 脱退―加□
4 野党―□党
5 雄花―□花

類義語

6 対等―互□
7 敬服―□心
8 許可―□認
9 余白―□外
10 暴風―□風

かく・かん・しょう・ふく・め
い・よ・らん・れっ・わく

2×5　/10

(七) 次の――線の**カタカナ**を**漢字一字と送りがな(ひらがな)**に直せ。

〈例〉字を**オシエル**。［教える］

1 富士山の単独登頂を**ココロミル**。（　）

2 痛みが**オサマラ**ずに病院へ行く。（　）

3 昼時の飲食店は非常に**イソガシイ**。（　）

4 人としての尊厳を**オカサレル**。（　）

5 試合は一時間**オクラセ**て行う。（　）

2×10　/20

(八) 文中の**四字熟語**の――線の**カタカナ**を**漢字**に直せ。(　)内に**一字記入**せよ。

1 **朝レイ暮改**で混乱する。（　）

2 **南船北バ**で全国をかけめぐる。（　）

3 **臨機オウ変**に動き回る。（　）

4 **不カ抗力**だからやむを得ない。（　）

5 兄はとても**用意シュウ到**だ。（　）

6 **傍若ブ人**にふるまう。（　）

7 **理非キョク直**をはっきりさせる。（　）

8 **ミョウ計奇策**で敵を手玉に取る。（　）

9 **人セキ未踏**の地を探検する。（　）

10 **ジン常一様**に仕事をこなす。（　）

2×5　/10

(九) 次の各文にまちがって使われている**同じ読みの漢字**が**一字**ある。(　)内の**上に誤字**を、**下に正しい漢字**を記せ。

1 長年の創作活動の集大勢として個展を開き多くの作品を展示した。（　・　）

2 目撃者に昨晩発生した銀行強盗事件の大容を述べさせて記録した。（・）

3 急場の判断を誤らないためには常に礼静になれる素質が必要だ。（・）

4 両者逆転劇を演じ合う試合展開で勝負は余断を許さない状況にある。（・）

5 生徒に分けへだてなく易しく接するのが教師としての私の信条だ。（・）

2×20 /40

(十) 次の——線のカタカナを漢字に直せ。

1 海水は真水より**フリョク**が大きい。（）

2 **ガリュウ**で花を生けている。（）

3 国会議員の**オショク**が摘発された。（）

4 神社**ブッカク**で安らぎを得る。（）

5 中学生**タイショウ**の講座だ。（）

6 映画の結末が**アッカン**だった。（）

7 **ロコツ**にいやな態度をとる。（）

8 **トクチョウ**のある形をした花だ。（）

9 **ゲンコウ**の締《し》め切りが明日に迫る。（）

10 **シンチョウ**に事を運ぶ。（）

11 会戦に敗れ戦場から**タイキャク**する。（）

12 塩化銅**スイヨウエキ**を電気分解した。（）

13 **コガネ**虫は背中の色が美しい。（）

14 人の失敗を**セ**めたてる。（）

15 夏は今が**サカ**りだ。（）

16 体験を**オ**り込んで話をする。（）

17 今日の天気は晴れ時々**クモ**りだ。（）

18 日曜日の午後に**ヒルネ**をする。（）

19 **アザ**やかな一本勝ちだった。（）

20 目の前の空いた席に**スワ**る。（）

4級

第15回★テスト（60分）

◇合計点◇

200点満点の　　点

- 140点以上　合格
- 110点以上　合格まであと一歩
- 80点以上　さらに努力を
- 79点以下　受検級を考え直しましょう

1×30

/30

(一) 次の――線の**漢字の読み**を**ひらがな**で記せ。

1 郷土芸能を継承していく。（　　）
2 恒例の仮装行列がやってきた。（　　）
3 父に反抗して家出をした。（　　）
4 首都圏の交通はマヒしている。（　　）
5 学校でまたとない知己を得た。（　　）
6 敵地への出撃命令が下りた。（　　）
7 散髪してさっぱりした。（　　）
8 互いの目的と合致する。（　　）
9 援軍に歓呼の声をあげる。（　　）
10 乗用車は父と兄が兼用している。（　　）
11 派遣社員が増加している。（　　）
12 サッカーの試合に熱狂する。（　　）
13 大将が陣頭に立って戦う。（　　）
14 木剣を手にして立ち会う。（　　）
15 待ち合わせ場所を変更する。（　　）
16 玄関のわきにさつきを植えた。（　　）
17 合格者発表に胸の鼓動が高なる。（　　）
18 交互に意見を述べ合った。（　　）
19 外国産の品を珍重する。（　　）
20 画面の色がとても鮮明だ。（　　）
21 軒下で雨やどりをする。（　　）
22 枯山水の庭を見る。（　　）

23 透き通った池の水に山が映る。（　　）
24 強風で板べいが倒れた。（　　）
25 町は著しい変化をとげた。（　　）
26 ライバルの周辺に探りを入れる。（　　）
27 暇を盗んで俳句を作る。（　　）
28 寒さはもう峠を越したと思う。（　　）
29 唐草模様のふろしきを広げる。（　　）
30 幼時から三味線を習っている。（　　）

2×15
／30

(二)

次の――線のカタカナにあてはまる漢字をそれぞれのア～オから一つ選び、記号を記せ。

1 働きづめでヒ労がたまる。
2 市内全域にヒ難指示が出された。
3 新作映画をヒ評する。
（ア 避　イ 比　ウ 批　エ 非　オ 疲）

4 海外の情報を取シャ選択《たく》する。
5 スキー場のシャ面を滑《すべ》り下りる。
6 直シャ日光がまぶしい。
（ア 射　イ 捨　ウ 舎　エ 写　オ 斜）

7 好奇心よりも恐フ心が先に立つ。
8 夜間に線路のフ設工事が行われた。
9 勝利して首位にフ上する。
（ア 敷　イ 浮　ウ 富　エ 怖　オ 付）

10 街のソウ音が気になる。
11 車ソウから景色をながめる。
12 乾ソウ注意報が出た。
（ア 層　イ 燥　ウ 騒　エ 創　オ 窓）

13 デパートの前でオち合った。
14 荷物をオいて出ていく。
15 けがをオして出場する。
（ア 置　イ 尾　ウ 押　エ 落　オ 雄）

(三)

2×5 /10

1〜5の三つの□に**共通する漢字**を入れて熟語を作れ。漢字はア〜コから**一つ**選び、**記号**を記せ。

1 □気・仮□・冬□（　　）

2 □笛・□氷・夜□（　　）

3 本□・待□・□外（　　）

4 □中・初□・白昼□（　　）

5 □花・連□・□雪（　　）

ア 勇	イ 望	ウ 春	エ 霧	オ 人
カ 水	キ 夢	ク 気	ケ 綿	コ 眠

(四)

2×10 /20

熟語の構成のしかたには次のようなものがある。

ア 同じような意味の漢字を重ねたもの（**身体**）
イ 反対または対応の意味を表す字を重ねたもの（**浮沈**）
ウ 上の字が下の字を修飾しているもの（**必要**）
エ 下の字が上の字の目的語・補語になっているもの（**始業**）
オ 上の字が下の字の意味を打ち消しているもの（**不明**）

次の熟語は右の**ア〜オ**のどれにあたるか、**一つ**選び、**記号**を記せ。

1 透視（　）
2 曇天（　）
3 迫真（　）
4 濃淡（　）
5 単独（　）
6 当否（　）
7 爆音（　）
8 無尽（　）
9 運搬（　）
10 配慮（　）

1×10

/10

(五)

次の漢字の**部首**を**ア〜エ**から**一つ**選び、**記号にマーク**せよ。

1 殿（ア 殳　イ 八　ウ 几　エ 尸）

2 兼（ア 一　イ 八　ウ ハ　エ 丨）

3 圏（ア 㔾　イ 己　ウ 囗　エ 人）

4 鼓（ア 支　イ 士　ウ 豆　エ 鼓）

5 撃（ア 手　イ 几　ウ 殳　エ 車）

6 互（ア 一　イ 歹　ウ 彑　エ 二）

7 玄（ア 亠　イ 幺　ウ 玄　エ 一）

8 更（ア 曰　イ ノ　ウ 田　エ 日）

9 穀（ア 士　イ 禾　ウ 又　エ 殳）

10 堅（ア 土　イ 臣　ウ 又　エ 士）

2×10

/20

(六)

後の□内のひらがなを漢字に直して□に入れ、**対義語・類義語**を作れ。□内のひらがなは一度だけ使い、**一字記入**せよ。

対義語

1 断念—執□

2 厳冬—盛□

3 水平—□直

4 濃縮—希□

5 加入—脱□

類義語

6 豪放—豪□

7 勤務—就□

8 歳末—歳□

9 理由—根□

10 専有—独□

か・かい・きょ・しゃく・すい
せん・たい・ちゃく・ぼ・ろう

2×5 /10

(七) 次の――線のカタカナを漢字一字と送りがな(ひらがな)に直せ。

〈例〉字を**オシエル**。 教える

1 新しい規約に異を**トナエル**。（　　）

2 強風で**コワレ**た屋根を直した。（　　）

3 父は最近**ツカレ**た顔をしている。（　　）

4 昔から兄は**タノモシイ**存在だった。（　　）

5 親元を**ハナレ**て独り暮らしをする。（　　）

2×10 /20

(八) 文中の四字熟語の――線のカタカナを漢字に直せ。（　）内に一字記入せよ。

1 長引く不況で会社は**青息ト息**だ。（　　）

2 何にでも**付ワ雷同**する。（　　）

3 **ユ断大敵**と気を引きしめる。（　　）

4 ルール違反は**迷惑セン万**だ。（　　）

5 **物ジョウ騒然**の暗い世の中だ。（　　）

6 **前人ミ到**の記録をつくる。（　　）

7 **理ロ整然**と意見を述べる。（　　）

8 **シン天動地**の出来事が起きた。（　　）

9 **人品骨ガラ**を考慮して採用する。（　　）

10 **不眠不キュウ**で作業にあたる。（　　）

2×5 /10

(九) 次の各文にまちがって使われている同じ読みの漢字が一字ある。（　）内の上に誤字を、下に正しい漢字を記せ。

1 会社の創立記念日には社員全員が将来へ向けて決為を新たにした。（　・　）

第15回

2 例年になく異常気象が続くと大きな最害が起きそうな予感がする。（　・　）

3 少年たちの犯罪は暗い世相を反影しているようでうそ寒くなる。（　・　）

4 台風の影響で関東地方の太平洋鉛岸に高波が押し寄せ被害を出した。（　・　）

5 大通りの無電柱化の計画を実行に写すのは簡単なことではない。（　・　）

2×20

/40

(十) 次の――線のカタカナを漢字に直せ。

1 **シマツ**に負えないいたずら者だ。（　）

2 神社に石どうろうを**キシン**する。（　）

3 多少の誤差なら**キョヨウ**する。（　）

4 **ボッカ**的な風景を楽しむ。（　）

5 実力を**ハッキ**して合格した。（　）

6 恐竜《りゅう》の化石を**ハックツ**する。（　）

7 **リョウガエ**機でお札を小銭に崩《くず》す。（　）

8 留学のために**トベイ**した。（　）

9 兄には**テンプ**の才が備わっている。（　）

10 **ジュヨウ**と供給で物の値段は決まる。（　）

11 おみくじで**ダイキョウ**を引いてしまった。（　）

12 警察官が住宅街を**ジュンカイ**している。（　）

13 かつお**ブシ**をけずる。（　）

14 人前で失敗し**ハ**ずかしい思いをした。（　）

15 今回だけ特例を**モウ**ける。（　）

16 **アヤツ**り人形の劇を見る。（　）

17 新しい職場にもすっかり**ナ**れた。（　）

18 日本全国が寒波に**オソ**われる。（　）

19 老いては子に**シタガ**えという。（　）

20 初対面ながら会話が**ハズ**んだ。（　）

4級

第16回★テスト（60分）

◇合計点◇

（200点満点の　　点）

- 140点以上
  合格
- 110点以上
  合格まであと一歩
- 80点以上
  さらに努力を
- 79点以下
  受検級を考え直しましょう

1×30　　/30

（一）　次の――線の**漢字の読み**を**ひらがな**で記せ。

1 姉の新婚家庭を訪問した。（　　）
2 悲惨な事件が後を絶たない。（　　）
3 入稿が予定日より遅れそうだ。（　　）
4 集中豪雨で村の大橋が落ちた。（　　）
5 玉砂利を踏みしめて神社に参る。（　　）
6 神妙に先生の話を聞く。（　　）
7 論文の主旨を簡単に説明する。（　　）
8 入試要項を取り寄せる。（　　）
9 ひよこの雌雄を見分ける。（　　）
10 橋の欄干をしっかりつかむ。（　　）
11 記載もれがないかを確認する。（　　）
12 香料入りの飲み物は買わない。（　　）
13 パソコンで名刺を作った。（　　）
14 財布の中はいつも空っぽだ。（　　）
15 紫雲はめでたい印とされる。（　　）
16 優勝して万歳三唱する。（　　）
17 洗剤の量は少なめでよい。（　　）
18 勝利への執念が燃え上がる。（　　）
19 抜本的な解決策が必要だ。（　　）
20 いっそうの活躍を期待する。（　　）
21 日本髪がよく似合っている。（　　）
22 温かい芋がゆを食べる。（　　）

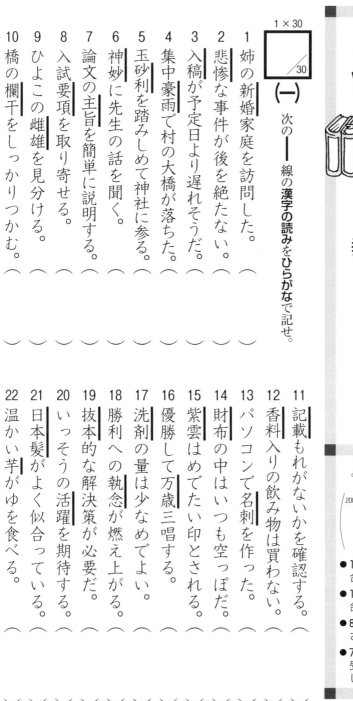

23 冬の夜空に星が輝く。（　　）

24 居間にある置き時計が壊れた。（　　）

25 温泉は程よい湯加減だ。（　　）

26 両手に袋《ふくろ》を提げて歩いた。（　　）

27 小遣いの額を増やしてもらう。（　　）

28 ついに父の雷が落ちた。（　　）

29 敗色の濃い試合展開となった。（　　）

30 芝生の手入れが行き届いている。（　　）

（二）

2×15　／30

次の――線の**カタカナ**にあてはまる漢字をそれぞれの**ア～オ**から**一つ**選び、**記号**を記せ。

1 子供たちにごちそうを**フン**発する。

2 ロケットを**フン**射させる。

3 **フン**末の胃腸薬を服用する。

（ア 粉　イ 奮　ウ 分　エ 文　オ 噴）

4 **ジュン**回パトロールに出かける。

5 不**ジュン**物を取り除く。

6 七月下**ジュン**から夏休みが始まる。

（ア 順　イ 純　ウ 準　エ 旬　オ 巡）

7 この図形は左右対**ショウ**だ。

8 計画の**ショウ**細を知らせる。

9 世界各国の料理を**ショウ**介する。

（ア 照　イ 称　ウ 詳　エ 紹　オ 象）

10 見事な手腕に脱**ボウ**する。

11 他人の争いを**ボウ**観する。

12 友人と**ボウ**険に出かけた。

（ア 冒　イ 貿　ウ 帽　エ 傍　オ 忘）

13 インスタントスープを湯で**ト**く。

14 ものの道理を**ト**いて聞かせる。

15 ひもの結び目を**ト**く。

（ア 解　イ 溶　ウ 留　エ 説　オ 止）

2×5 ／10

(三) 1～5の三つの□に**共通する漢字**を入れて熟語を作れ。漢字は**ア～コ**から**一つ**選び、**記号**を記せ。

1 小□・飯□・素□子（　　）
2 両□・□席・善□（　　）
3 □地・脳□・□話（　　）
4 残□・□守・書□（　　）
5 朝□・□見・発□（　　）

ア 国　イ 留　ウ 用　エ 隣　オ 方
カ 業　キ 粒　ク 金　ケ 露　コ 裏

2×10 ／20

(四) **熟語の構成**のしかたには次のようなものがある。

ア 同じような意味の漢字を重ねたもの（**身体**）
イ 反対または対応の意味を表す字を重ねたもの（**浮沈**）
ウ 上の字が下の字を修飾しているもの（**必要**）
エ 下の字が上の字の目的語・補語になっているもの（**始業**）
オ 上の字が下の字の意味を打ち消しているもの（**不明**）

次の熟語は右の**ア～オ**のどれにあたるか、**一つ**選び、**記号**を記せ。

1 越冬（　）　2 繁栄（　）　3 難易（　）
4 円盤（　）　5 未婚（　）　6 避難（　）
7 俗説（　）　8 首尾（　）　9 微熱（　）
10 恐怖（　）

(五)

1×10　/10

次の漢字の**部首**をア～エから**一つ**選び、**記号にマーク**せよ。

1 鎖（ア 貝　イ 干　ウ ⺍　エ 金）
2 彩（ア 木　イ 彡　ウ ⺤　エ 采）
3 紫（ア 小　イ 匕　ウ 比　エ 糸）
4 執（ア 土　イ 干　ウ 几　エ 羊）
5 歳（ア 止　イ 戈　ウ 小　エ 厂）
6 粒（ア 米　イ 立　ウ 二　エ 木）
7 乗（ア 木　イ ノ　ウ 一　エ 丨）
8 雌（ア 止　イ 匕　ウ 隹　エ ノ）
9 衆（ア 皿　イ 血　ウ ノ　エ 亻）
10 載（ア 戈　イ 車　ウ 土　エ 丶）

(六)

2×10　/20

後の□内のひらがなを漢字に直して□に入れ、**対義語・類義語**を作れ。□内のひらがなは一度だけ使い、**一字記入**せよ。

対義語

1 需要－供□
2 奇襲－□攻
3 家来－□君
4 就寝－起□
5 劣等－優□

類義語

6 趣向－□夫
7 守備－防□
8 作用－□能
9 手柄－功□
10 看病－□抱

かい・き・きゅう・ぎょ・く
しゅ・しゅう・しょう・せい・せき

2×5
/10
(七) 次の——線のカタカナを**漢字一字と送りがな(ひらがな)**に直せ。

〈例〉字を**オシエル**。［教える］

1 新しい時代を**ムカエル**。（　　）
2 **ミズカラ**手本を示す。（　　）
3 私は兄よりも体力が**オトル**。（　　）
4 今の地位に**アマンジ**ている気はない。（　　）
5 **オソロシイ**夢を見て飛び起きる。（　　）

2×10
/20
(八) 文中の**四字熟語**の——線の**カタカナ**を**漢字**に直せ。( )内に**一字記入**せよ。

1 **明鏡シ水**の心境にはなれない。（　　）
2 **博覧強キ**の文学博士に学ぶ。（　　）
3 講演は**論旨明カイ**で評判がよい。（　　）
4 **ホン末転倒**もはなはだしい話だ。（　　）
5 **急テン直下**で解決に向かう。（　　）
6 **七難八ク**を乗りこえる。（　　）
7 **薄リ多売**で成功する。（　　）
8 **晴コウ雨読**の生活を送る。（　　）
9 **後ショウ大事**に保管している。（　　）
10 **前ト多難**な状況を嘆く。（　　）

2×5
/10
(九) 次の各文にまちがって使われている**同じ読みの漢字**が**一字**ある。( )内の**上に誤字**を、**下に正しい漢字**を記せ。

1 文化祭で劇を上演するため数日を費やし実行加能な計画を立てた。（　・　）

2 鋭意努力して業会第一位の売り上げを目指すことを会議で宣言する。（・）

3 銀行の貸ししぶり対策に慣連する国会での質疑が今日から始まる。（・）

4 二十年間勤めた会社を依顔退職して郷里に戻り家業の造園業を継ぐ。（・）

5 難民救済の海外活動は現実に目冷める良い機会であったと思う。（・）

(十)

2×20

/40

次の——線の**カタカナ**を**漢字**に直せ。

1 **ロウキュウカ**した校舎を建て替える。（）

2 荷物をトラックで**ユソウ**する。（）

3 身の**ケッパク**を主張した。（）

4 **ウンガ**を大型客船が通過する。（）

5 **シュカン**的な見方にかたよる。（）

6 **ハクシン**の演技をほめられる。（）

7 病院で**テンテキ**を受ける。（）

8 **イセイ**がよいのは最初だけだ。（）

9 **チキュウギ**を買ってもらう。（）

10 政府を**ツウレツ**に批判する。（）

11 **キョダイ**な落石が道をふさいでいた。（）

12 不当な扱いを受け**ゲキド**する。（）

13 史実に**モト**づく小説だ。（）

14 酒気を**オ**びた状態で運転しない。（）

15 火に油を**ソソ**ぐようなものだ。（）

16 **シオカゼ**がほおに気持ちいい。（）

17 あせる気持ちが**カラマワ**りする。（）

18 どんな時も**ホコ**りを捨てず生きる。（）

19 悪い知らせに表情が**カゲ**る。（）

20 道路を**ナナ**めに渡った。（）

(一) 読み (1×30)

10	9	8	7	6	5	4	3	2	1
20	19	18	17	16	15	14	13	12	11
30	29	28	27	26	25	24	23	22	21

(二) 同音・同訓異字 (2×15)

9	8	7	6	5	4	3	2	1
			15	14	13	12	11	10

(三) 漢字識別 (2×5)

5	4	3	2	1

(四) 熟語の構成 (2×10)

10	9	8	7	6	5	4	3	2	1

第（　）回テスト答案用紙

／200点

（五）部首（1×10）

10	9	8	7	6	5	4	3	2	1

（六）対義語・類義語（2×10）

10	9	8	7	6	5	4	3	2	1

（七）漢字と送りがな（2×5）

5	4	3	2	1

（八）四字熟語（2×10）

10	9	8	7	6	5	4	3	2	1

（九）誤字訂正（2×5）

5	4	3	2	1
・	・	・	・	・

（十）書き取り（2×20）

10	9	8	7	6	5	4	3	2	1
20	19	18	17	16	15	14	13	12	11

　※コピーしてお使いください。

4級配当漢字表

三一三字の4級配当漢字が4級検定の中心になります。

- ◀画数
- ◀漢字
- ◀読み　カタカナは音読み、ひらがなは訓読み（赤色は送りがな）。（ ）は高校で習う読み。
- ◀部首
- ◀部首名
- ◀用例　3級以上の配当漢字には色がついています。（ ）の中の漢字は特別な読みです。

	画数	漢字	読み	部首	部首名	用例
ア	12	握	アク・にぎる	扌	てへん	握手《あくしゅ》・握力《あくりょく》 握《にぎ》り飯《めし》
	6	扱	あつかう	扌	てへん	取《と》り扱《あつか》い 扱《あつか》い方《かた》
イ	8	依	イ	亻	にんべん	依頼《いらい》・依然《いぜん》 依願《いがん》
	9	威	イ	女	おんな	威力《いりょく》・威勢《いせい》 権威《けんい》
	9	為	イ	灬	れんが・れっか	行為《こうい》・（為替《かわせ》） 有為《うい》転変《てんぺん》
	12	偉	イ・えらい	亻	にんべん	偉大《いだい》・偉業《いぎょう》 偉《えら》い人《ひと》
	13	違	イ・ちがう・ちがえる	辶	しんにょう・しんにゅう	違反《いはん》・相違《そうい》 筋違《すじちが》い
	14	維	イ	糸	いとへん	維持《いじ》 明治《めいじ》維新《いしん》
	16	緯	イ	糸	いとへん	緯度《いど》・経緯《けいい》 北緯《ほくい》
	7	壱	イチ	士	さむらい	壱万円《いちまんえん》
	6	芋	いも	艹	くさかんむり	芋版《いもばん》・里芋《さといも》 焼《や》き芋《いも》
	11	陰	イン・かげ・かげる	阝	こざとへん	陰気《いんき》・日陰《ひかげ》 光陰《こういん》矢《や》の如《ごと》し
	14	隠	イン・かくす・かくれる	阝	こざとへん	隠居《いんきょ》・隠語《いんご》 姿《すがた》を隠《かく》す
エ	15	影	エイ・かげ	彡	さんづくり	影響《えいきょう》・投影《とうえい》 人影《ひとかげ》
	15	鋭	エイ・するどい	金	かねへん	鋭意《えいい》・精鋭《せいえい》 鋭《するど》い観察《かんさつ》
	12	越	エツ・こす・こえる	走	そうにょう	越境《えっきょう》・越冬《えっとう》 川《かわ》を越《こ》える
	12	援	エン	扌	てへん	援助《えんじょ》・応援《おうえん》 援軍《えんぐん》・支援《しえん》
	13	煙	エン・けむる・けむり・けむい	火	ひへん	煙突《えんとつ》・煙幕《えんまく》 砂煙《すなけむり》・煙《けむ》たがる
	13	鉛	エン・なまり	金	かねへん	鉛筆《えんぴつ》・黒鉛《こくえん》 鉛色《なまりいろ》
	15	縁	エン・ふち	糸	いとへん	縁起《えんぎ》・縁日《えんにち》 縁《ふち》なし帽《ぼう》
オ	6	汚	オ・よごす・よごれる・きたない・（けがす）（けがれる）（けがらわしい）	氵	さんずい	汚点《おてん》・汚職《おしょく》 手《て》を汚《よご》す・汚《きたな》い
	8	押	（オウ）おす・おさえる	扌	てへん	判《はん》を押《お》す 首《くび》を押《お》さえる
	12	奥	（オウ）おく	大	だい	奥歯《おくば》・奥様《おくさま》 大奥《おおおく》・奥底《おくそこ》
	16	憶	オク	忄	りっしんべん	追憶《ついおく》・記憶《きおく》 憶測《おくそく》
カ	11	菓	カ	艹	くさかんむり	菓子《かし》・製菓《せいか》 乳菓《にゅうか》
	13	暇	カ・ひま	日	ひへん	休暇《きゅうか》・寸暇《すんか》 暇人《ひまじん》
	14	箇	カ	⺮	たけかんむり	箇所《かしょ》 箇条《かじょう》書《が》き
	13	雅	ガ	隹	ふるとり	雅楽《ががく》 優雅《ゆうが》
	4	介	カイ	人	ひとやね	介入《かいにゅう》・紹介《しょうかい》 介抱《かいほう》・魚介《ぎょかい》
	7	戒	カイ・いましめる	戈	ほこづくり・ほこがまえ	戒律《かいりつ》・警戒《けいかい》 親《おや》の戒《いまし》め
	9	皆	カイ・みな	白	しろ	皆無《かいむ》・皆勤《かいきん》 皆様《みなさま》
	16	壊	カイ・こわす・こわれる	土	つちへん	破壊《はかい》・全壊《ぜんかい》 家《いえ》が壊《こわ》れる

画数	漢字	読み	部首	用例
13	較	カク	車 くるまへん	較差《かくさ》(こうさ) 比較《ひかく》
16	獲	カク える	犭 けものへん	獲得《かくとく》・捕獲《ほかく》 獲物《えもの》
4	刈	かる	刂 りっとう	稲《いね》を刈《か》る 丸刈《まるが》り
5	甘	カン あまい あまえる あまやかす	甘 かん あまい	甘言《かんげん》・甘美《かんび》 甘《あま》い汁《しる》
6	汗	カン あせ	氵 さんずい	汗顔《かんがん》・発汗《はっかん》 汗水《あせみず》・寝汗《ねあせ》
11	乾	カン かわく かわかす	乙 おつ	無味乾燥《むみかんそう》 髪《かみ》を乾《かわ》かす
13	勧	カン すすめる	力 ちから	勧告《かんこく》・勧進《かんじん》 入会《にゅうかい》を勧《すす》める
15	歓	カン	欠 あくび かける	歓声《かんせい》・歓迎《かんげい》 歓喜《かんき》・交歓《こうかん》
15	監	カン	皿 さら	監視《かんし》・監禁《かんきん》 監修《かんしゅう》
17	環	カン	王 おうへん たまへん	環境《かんきょう》・一環《いっかん》 衆人環視《しゅうじんかんし》
23	鑑	カン (かんがみる)	金 かねへん	鑑賞《かんしょう》・図鑑《ずかん》 歴史《れきし》を鑑《かんが》みる
7	含	ガン ふくむ ふくめる	口 くち	含有《がんゆう》・含蓄《がんちく》 言《い》い含《ふく》める

キ

画数	漢字	読み	部首	用例
8	奇	キ	大 だい	奇数《きすう》・奇異《きい》 奇想天外《きそうてんがい》
8	祈	キ いのる	礻 しめすへん	祈願《きがん》・祈念《きねん》 神《かみ》に祈《いの》る
10	鬼	キ おに	鬼 おに	鬼門《きもん》・鬼才《きさい》 赤鬼《あかおに》・青鬼《あおおに》
12	幾	キ いく	幺 よう いとがしら	幾何《きか》 幾多《いくた》・幾日《いくにち》
15	輝	キ かがやく	車 くるま	光輝《こうき》・輝石《きせき》 目《め》が輝《かがや》く
15	儀	ギ	亻 にんべん	儀式《ぎしき》・儀法《ぎほう》 行儀《ぎょうぎ》・地球儀《ちきゅうぎ》
15	戯	ギ (たわむれる)	戈 ほこづくり ほこがまえ	戯曲《ぎきょく》・児戯《じぎ》 遊戯《ゆうぎ》
13	詰	(キツ) つめる つまる つむ	言 ごんべん	返事《へんじ》に詰《つ》まる 詰《つ》め寄《よ》る
7	却	キャク	卩 わりふ ふしづくり	却下《きゃっか》・返却《へんきゃく》 退却《たいきゃく》・消却《しょうきゃく》
11	脚	キャク (キャ) あし	月 にくづき	脚本《きゃくほん》・健脚《けんきゃく》 机《つくえ》の脚《あし》
3	及	キュウ およぶ および およぼす	又 また	及第《きゅうだい》・普及《ふきゅう》 影響《えいきょう》を及《およ》ぼす
5	丘	キュウ おか	一 いち	砂丘《さきゅう》 丘《おか》の上《うえ》

画数	漢字	読み	部首	用例
6	朽	キュウ くちる	木 きへん	不朽《ふきゅう》・腐朽《ふきゅう》 朽《く》ちた木《き》
5	巨	キョ	工 え たくみ	巨人《きょじん》・巨漢《きょかん》 巨頭《きょとう》・巨額《きょがく》
8	拠	キョ コ	扌 てへん	拠点《きょてん》・根拠《こんきょ》 証拠《しょうこ》
12	距	キョ	𧾷 あしへん	距離《きょり》
12	御	ギョ ゴ おん	彳 ぎょうにんべん	制御《せいぎょ》・防御《ぼうぎょ》 御飯《ごはん》・御中《おんちゅう》
4	凶	キョウ	凵 うけばこ	凶器《きょうき》・凶悪《きょうあく》 凶暴《きょうぼう》・吉凶《きっきょう》
6	叫	キョウ さけぶ	口 くちへん	叫声《きょうせい》・絶叫《ぜっきょう》 無実《むじつ》を叫《さけ》ぶ
7	狂	キョウ くるう くるおしい	犭 けものへん	狂気《きょうき》・熱狂《ねっきょう》 気《き》が狂《くる》う
8	況	キョウ	氵 さんずい	状況《じょうきょう》・近況《きんきょう》 実況《じっきょう》・好況《こうきょう》
9	狭	(キョウ) せまい せばめる せばまる	犭 けものへん	心《こころ》が狭《せま》い 道《みち》が狭《せば》まる
10	恐	キョウ おそれる おそろしい	心 こころ	恐怖《きょうふ》・恐縮《きょうしゅく》 失敗《しっぱい》を恐《おそ》れる
20	響	キョウ ひびく	音 おと	反響《はんきょう》・影響《えいきょう》 心《こころ》に響《ひび》く

22	驚	キョウ おどろく おどろかす	馬	うま	驚異《きょうい》・驚嘆《きょうたん》 人《ひと》を驚《おどろ》かす
6	仰	ギョウ コウ あおぐ (おおせ)	亻	にんべん	仰天《ぎょうてん》・信仰《しんこう》 天《てん》を仰《あお》ぐ
ク 14	駆	ク かける かる	馬	うまへん	駆使《くし》・先駆《せんく》 野《の》を駆《か》ける
8	屈	クツ	尸	かばね しかばね	屈指《くっし》・屈折《くっせつ》 理屈《りくつ》・退屈《たいくつ》
11	掘	クツ ほる	扌	てへん	発掘《はっくつ》・採掘《さいくつ》 穴《あな》を掘《ほ》る
19	繰	くる	糸	いとへん	繰《く》り出《だ》す 繰《く》り上《あ》げ
ケ 10	恵	ケイ エ めぐむ	心	こころ	恩恵《おんけい》・知恵《ちえ》 恵《めぐ》みの雨《あめ》
13	傾	ケイ かたむく かたむける	亻	にんべん	傾向《けいこう》・傾倒《けいとう》 日《ひ》が傾《かたむ》く
13	継	ケイ つぐ	糸	いとへん	継続《けいぞく》・継承《けいしょう》 引《ひ》き継《つ》ぐ
7	迎	ゲイ むかえる	辶	しんにょう しんにゅう	迎合《げいごう》・歓迎《かんげい》 客《きゃく》を迎《むか》える
15	撃	ゲキ うつ	手	て	撃退《げきたい》・打撃《だげき》 迎《むか》え撃《う》つ
8	肩	(ケン) かた	肉	にく	肩車《かたぐるま》 肩幅《かたはば》
10	兼	ケン かねる	八	はち	兼業《けんぎょう》・兼《か》ねる 才色兼備《さいしょくけんび》
10	剣	ケン つるぎ	刂	りっとう	剣道《けんどう》・剣客《けんかく》 剣《つるぎ》の舞《ま》い
10	軒	ケン のき	車	くるまへん	軒灯《けんとう》・数軒《すうけん》 軒先《のきさき》・軒下《のきした》
12	圏	ケン	囗	くにがまえ	圏内《けんない》・北極圏《ほっきょくけん》 首都圏《しゅとけん》
12	堅	ケン かたい	土	つち	堅実《けんじつ》・中堅《ちゅうけん》 意志《いし》が堅《かた》い
13	遣	ケン つかう つかわす	辶	しんにょう しんにゅう	遣外《けんがい》・派遣《はけん》 小遣《こづか》い
5	玄	ゲン	玄	げん	玄関《げんかん》・玄米《げんまい》 玄武岩《げんぶがん》
コ 9	枯	コ かれる からす	木	きへん	枯死《こし》・栄枯《えいこ》 冬枯《ふゆが》れ
13	誇	コ ほこる	言	ごんべん	誇大《こだい》・誇示《こじ》 誇《ほこ》りを持《も》つ
13	鼓	コ (つづみ)	鼓	つづみ	鼓動《こどう》・太鼓《たいこ》 鼓笛隊《こてきたい》
4	互	ゴ たがい	二	に	互角《ごかく》・互助《ごじょ》 お互《たが》い様《さま》
7	抗	コウ	扌	てへん	抗議《こうぎ》・抗争《こうそう》 不可抗力《ふかこうりょく》
7	攻	コウ せめる	攵	のぶん ぼくづくり	攻撃《こうげき》・攻勢《こうせい》 敵《てき》を攻《せ》める
7	更	コウ さら (ふける) (ふかす)	曰	ひらび いわく	更新《こうしん》・更生《こうせい》 更《さら》に努力《どりょく》する
9	恒	コウ	忄	りっしんべん	恒久《こうきゅう》・恒常《こうじょう》 恒例《こうれい》・恒星《こうせい》
9	荒	コウ あらい あれる あらす	艹	くさかんむり	荒野《こうや》・荒《あら》い 天候《てんこう》が荒《あ》れる
12	項	コウ	頁	おおがい	項目《こうもく》・事項《じこう》 条項《じょうこう》・要項《ようこう》
15	稿	コウ	禾	のぎへん	稿料《こうりょう》・原稿《げんこう》 投稿《とうこう》・遺稿《いこう》
14	豪	ゴウ	豕	ぶた いのこ	豪快《ごうかい》・豪雨《ごうう》 強豪《きょうごう》・文豪《ぶんごう》
5	込	こむ こめる	辶	しんにょう しんにゅう	意気込《いきご》む 心《こころ》を込《こ》める
11	婚	コン	女	おんなへん	婚礼《こんれい》・婚約《こんやく》 結婚《けっこん》・求婚《きゅうこん》
サ 18	鎖	サ くさり	金	かねへん	鎖骨《さこつ》・鎖国《さこく》 金《きん》の鎖《くさり》
11	彩	サイ (いろどる)	彡	さんづくり	彩光《さいこう》・彩色《さいしょく》 色彩《しきさい》・水彩《すいさい》
13	歳	サイ セイ	止	とめる	歳月《さいげつ》・歳末《さいまつ》 歳暮《せいぼ》・(二十歳《はたち》)

チカラがつく資料

シ

画数	漢字	読み	部首	部首名	用例
13	載	サイ のせる のる	車	くるま	載録《さいろく》・記載《きさい》 記事《きじ》を載《の》せる
10	剤	ザイ	刂	りっとう	薬剤《やくざい》・洗剤《せんざい》 下剤《げざい》・調剤《ちょうざい》
9	咲	さく	口	くちへん	早咲《はやざ》き 桜《さくら》が咲《さ》く
11	惨	サン (ザン) (みじめ)	忄	りっしんべん	惨状《さんじょう》・惨劇《さんげき》 悲惨《ひさん》・陰惨《いんさん》
6	旨	シ (むね)	日	ひ	主旨《しゅし》・要旨《ようし》 論旨《ろんし》明快《めいかい》
7	伺	(シ) うかがう	亻	にんべん	進退《しんたい》を伺《うかが》う
8	刺	シ さす さきる	刂	りっとう	刺殺《しさつ》・刺客《しかく》 針《はり》で刺《さ》す
10	脂	シ あぶら	月	にくづき	脂肪《しぼう》・油脂《ゆし》 脂汗《あぶらあせ》
12	紫	シ むらさき	糸	いと	紫煙《しえん》・紫外線《しがいせん》 紫色《むらさきいろ》の着物《きもの》
14	雌	シ め めす	隹	ふるとり	雌雄《しゆう》・雌花《めばな》 雌犬《めすいぬ》
11	執	シツ シュウ とる	土	つち	執行《しっこう》・執念《しゅうねん》 筆《ふで》を執《と》る
6	芝	しば	艹	くさかんむり	芝草《しばくさ》・芝刈《しばか》り 芝居《しばい》・（芝生《しばふ》）
11	斜	シャ ななめ	斗	とます	斜線《しゃせん》・斜面《しゃめん》 斜《なな》めの線《せん》
12	煮	(シャ) にる にえる にやす	灬	れんが れっか	豆《まめ》を煮《に》る 魚《さかな》が煮《に》える
11	釈	シャク	釆	のごめへん	釈明《しゃくめい》・釈然《しゃくぜん》 解釈《かいしゃく》・注釈《ちゅうしゃく》
11	寂	ジャク (セキ) さび さびしい さびれる	宀	うかんむり	静寂《せいじゃく》・入寂《にゅうじゃく》 寂《さび》・寂《さび》れた町《まち》
6	朱	シュ	木	き	朱色《しゅいろ》・朱肉《しゅにく》 朱筆《しゅひつ》
9	狩	シュ かる かり	犭	けものへん	狩猟《しゅりょう》 潮干狩《しおひが》り
15	趣	シュ おもむき	走	そうにょう	趣味《しゅみ》・趣向《しゅこう》 趣《おもむき》のある庭《にわ》
14	需	ジュ	雨	あめかんむり	需要《じゅよう》・需給《じゅきゅう》 内需《ないじゅ》・必需品《ひつじゅひん》
6	舟	シュウ ふね ふな	舟	ふね	舟航《しゅうこう》・舟運《しゅううん》 小舟《こぶね》・舟歌《ふなうた》
7	秀	シュウ (ひいでる)	禾	のぎ	秀才《しゅうさい》・秀作《しゅうさく》 優秀《ゆうしゅう》
22	襲	シュウ おそう	衣	ころも	襲来《しゅうらい》・襲名《しゅうめい》 寒波《かんぱ》が襲《おそ》う
9	柔	ジュウ ニュウ やわらか やわらかい	木	き	柔順《じゅうじゅん》・柔和《にゅうわ》 柔《やわ》らかい感触《かんしょく》
16	獣	ジュウ けもの	犬	いぬ	獣医《じゅうい》・鳥獣《ちょうじゅう》 獣道《けものみち》
18	瞬	シュン (またたく)	目	めへん	瞬間《しゅんかん》・瞬時《しゅんじ》 一瞬《いっしゅん》
6	旬	ジュン シュン	日	ひ	上旬《じょうじゅん》・初旬《しょじゅん》 旬《しゅん》の食材《しょくざい》
6	巡	ジュン めぐる	巛	かわ	巡回《じゅんかい》・巡《めぐ》る お巡《まわ》りさん
9	盾	ジュン たて	目	め	矛盾《むじゅん》 後《うし》ろ盾《だて》
5	召	ショウ めす	口	くち	召集《しょうしゅう》・召喚《しょうかん》 お気《き》に召《め》す
7	床	ショウ とこ ゆか	广	まだれ	起床《きしょう》・寝床《ねどこ》 床下《ゆかした》・床運動《ゆかうんどう》
8	沼	(ショウ) ぬま	氵	さんずい	沼地《ぬまち》
10	称	ショウ	禾	のぎへん	称号《しょうごう》・称賛《しょうさん》 愛称《あいしょう》・一人称《いちにんしょう》
11	紹	ショウ	糸	いとへん	紹介《しょうかい》
13	詳	ショウ くわしい	言	ごんべん	詳細《しょうさい》・詳解《しょうかい》 詳《くわ》しい記述《きじゅつ》
3	丈	ジョウ たけ	一	いち	丈夫《じょうぶ》・丈余《じょうよ》 身《み》の丈《たけ》

12	畳	ジョウ たたむ たたみ	田 た	畳語《じょうご》・畳《たた》む 畳表《たたみおもて》・青畳《あおだたみ》
12	殖	ショク ふえる ふやす	歹 かばねへん いちたへん がつへん	殖産《しょくさん》・養殖《ようしょく》 お金《かね》が殖《ふ》える
13	飾	ショク かざる	飠 しょくへん	修飾《しゅうしょく》・装飾《そうしょく》 部屋《へや》を飾《かざ》る
13	触	ショク ふれる さわる	角 つのへん	触手《しょくしゅ》・触《さわ》る 手《て》に触《ふ》れる
9	侵	シン おかす	亻 にんべん	侵入《しんにゅう》・侵害《しんがい》 権利《けんり》を侵《おか》す
10	振	シン ふる ふるう ふれる	扌 てへん	振動《しんどう》・不振《ふしん》 振《ふ》る舞《ま》う
10	浸	シン ひたす ひたる	氵 さんずい	浸水《しんすい》・浸食《しんしょく》 水《みず》に浸《ひた》す
13	寝	シン ねる ねかす	宀 うかんむり	寝室《しんしつ》・昼寝《ひるね》 子《こ》を寝《ね》かす
13	慎	シン つつしむ	忄 りっしんべん	慎重《しんちょう》・謹慎《きんしん》 行《おこな》いを慎《つつし》む
15	震	シン ふるう ふるえる	雨 あめかんむり	震災《しんさい》・震度《しんど》 寒《さむ》さに震《ふる》える
16	薪	シン たきぎ	艹 くさかんむり	薪炭《しんたん》 薪能《たきぎのう》
6	尽	ジン つくす つきる つかす	尸 かばね しかばね	尽力《じんりょく》・無尽《むじん》 力《ちから》が尽《つ》きる
10	陣	ジン	阝 こざとへん	陣営《じんえい》・陣地《じんち》 出陣《しゅつじん》・敵陣《てきじん》
12	尋	ジン たずねる	寸 すん	尋問《じんもん》・尋常《じんじょう》 道《みち》を尋《たず》ねる
7 ス	吹	スイ ふく	口 くちへん	吹奏楽部《すいそうがくぶ》 笛《ふえ》を吹《ふ》く・(吹雪《ふぶき》)
9 セ	是	ゼ	日 ひ	是正《ぜせい》・是認《ぜにん》 是非曲直《ぜひきょくちょく》
8	姓	セイ ショウ	女 おんなへん	姓名《せいめい》・同姓《どうせい》 百姓《ひゃくしょう》
8	征	セイ	彳 ぎょうにんべん	征服《せいふく》・遠征《えんせい》 出征《しゅっせい》
13	跡	セキ あと	𧾷 あしへん	奇跡《きせき》・遺跡《いせき》 跡継《あとつ》ぎ・跡形《あとかた》
5	占	セン しめる うらなう	卜 と うらない	占領《せんりょう》・占《うらな》う 席《せき》を占《し》める
10	扇	セン おうぎ	戸 とだれ とかんむり	扇風機《せんぷうき》 扇形《おうぎがた》・舞扇《まいおうぎ》
17	鮮	セン あざやか	魚 うおへん	鮮度《せんど》・新鮮《しんせん》 鮮《あざ》やかな色《いろ》
12 ソ	訴	ソ うったえる	言 ごんべん	訴状《そじょう》・告訴《こくそ》 痛《いた》みを訴《うった》える
13	僧	ソウ	亻 にんべん	僧院《そういん》・僧職《そうしょく》 高僧《こうそう》・名僧《めいそう》
17	燥	ソウ	火 ひへん	乾燥《かんそう》 高燥《こうそう》
18	騒	ソウ さわぐ	馬 うまへん	騒音《そうおん》・騒動《そうどう》 子供《こども》が騒《さわ》ぐ
18	贈	ゾウ ソウ おくる	貝 かいへん	贈答《ぞうとう》・寄贈《きぞう》 花《はな》を贈《おく》る
7	即	ソク	卩 わりふ ふしづくり	即位《そくい》・即死《そくし》 即断《そくだん》・即決《そっけつ》
9	俗	ゾク	亻 にんべん	俗物《ぞくぶつ》・俗悪《ぞくあく》 通俗《つうぞく》・風俗《ふうぞく》
9 タ	耐	タイ たえる	而 しかして しこうして	耐久《たいきゅう》・耐火《たいか》 寒《さむ》さに耐《た》える
12	替	タイ かえる かわる	曰 ひらび いわく	交替《こうたい》・代替《だいたい》 替《か》え着《ぎ》・(為替《かわせ》)
7	沢	タク さわ	氵 さんずい	沢山《たくさん》・光沢《こうたく》 沢登《さわのぼ》り
8	拓	タク	扌 てへん	拓地《たくち》・拓殖《たくしょく》 干拓《かんたく》・魚拓《ぎょたく》
16	濁	ダク にごる にごす	氵 さんずい	濁音《だくおん》・濁点《だくてん》 水《みず》が濁《にご》る
11	脱	ダツ ぬぐ ぬげる	月 にくづき	脱出《だっしゅつ》・脱衣《だつい》 服《ふく》を脱《ぬ》ぐ
4	丹	タン	丶 てん	丹念《たんねん》・丹精《たんせい》 丹頂《たんちょう》

見出し	画数	漢字	読み	部首	用例
	11	淡	タン あわい	氵 さんずい	淡水《たんすい》・冷淡《れいたん》 淡《あわ》い色《いろ》
	13	嘆	タン なげく なげかわしい	口 くちへん	嘆願《たんがん》・感嘆《かんたん》 嘆《なげ》き悲《かな》しむ
	14	端	タン はし (は) はた	立 たつへん	端正《たんせい》・先端《せんたん》 端書《はしが》き・井戸端《いどばた》
	12	弾	ダン ひく はずむ たま	弓 ゆみへん	弾圧《だんあつ》・実弾《じつだん》 話《はなし》が弾《はず》む・弾《たま》
チ	10	恥	チ はじる はじ はじらう はずかしい	心 こころ	無恥《むち》・恥《は》じる 恥《はじ》を知《し》る
	10	致	チ いたす	至 いたる	致命傷《ちめいしょう》・一致《いっち》 失礼致《しつれいいた》します
	12	遅	チ おくれる おくらす おそい	辶 しんにょう しんにゅう	遅刻《ちこく》・遅《おそ》い 学校《がっこう》に遅《おく》れる
	13	蓄	チク たくわえる	艹 くさかんむり	蓄財《ちくざい》・蓄積《ちくせき》 力《ちから》を蓄《たくわ》える
	13	跳	チョウ はねる とぶ	𧾷 あしへん	跳馬《ちょうば》・跳躍《ちょうやく》 跳《は》ねる・高跳《たかと》び
	14	徴	チョウ	彳 ぎょうにんべん	徴収《ちょうしゅう》・徴発《ちょうはつ》 特徴《とくちょう》・追徴《ついちょう》
	15	澄	(チョウ) すむ すます	氵 さんずい	空《そら》が澄《す》む 澄《す》まし顔《がお》
	7	沈	チン しずむ しずめる	氵 さんずい	沈思黙考《ちんしもっこう》 身《み》を沈《しず》める
	9	珍	チン めずらしい	王 おうへん たまへん	珍事《ちんじ》・珍品《ちんぴん》 珍《めずら》しい土産《みやげ》
テ	8	抵	テイ	扌 てへん	抵抗《ていこう》・抵当《ていとう》 大抵《たいてい》
	12	堤	テイ つつみ	土 つちへん	堤防《ていぼう》・防波堤《ぼうはてい》 堤《つつみ》が切《き》れた
	14	摘	テキ つむ	扌 てへん	摘出《てきしゅつ》・摘発《てきはつ》 花《はな》を摘《つ》む
	14	滴	テキ しずく (したたる)	氵 さんずい	一滴《いってき》・水滴《すいてき》 雨《あめ》の滴《しずく》
	11	添	テン そえる そう	氵 さんずい	添付《てんぷ》・添加《てんか》 添《そ》え物《もの》
	13	殿	デン テン との どの	殳 るまた ほこづくり	殿下《でんか》・御殿《ごてん》 殿様《とのさま》・山田殿《やまだどの》
ト	6	吐	ト はく	口 くちへん	吐息《といき》・吐血《とけつ》 血《ち》を吐《は》く
	10	途	ト	辶 しんにょう しんにゅう	途上《とじょう》・途中《とちゅう》 帰途《きと》・別途《べっと》
	12	渡	ト わたる わたす	氵 さんずい	渡航《とこう》・渡米《とべい》 川《かわ》を渡《わた》る
	5	奴	ド	女 おんなへん	奴隷《どれい》・農奴《のうど》 守銭奴《しゅせんど》
	9	怒	ド いかる おこる	心 こころ	怒声《どせい》・怒《おこ》る 肩《かた》を怒《いか》らす
	8	到	トウ	刂 りっとう	到着《とうちゃく》・到達《とうたつ》 用意周到《よういしゅうとう》
	9	逃	トウ にげる にがす のがす のがれる	辶 しんにょう しんにゅう	逃走《とうそう》・見逃《みのが》す 逃《に》げ去《さ》る
	10	倒	トウ たおれる たおす	亻 にんべん	倒産《とうさん》・圧倒《あっとう》 木《き》を切《き》り倒《たお》す
	10	唐	トウ から	口 くち	唐人《とうじん》・唐突《とうとつ》 唐紙《からかみ》・唐草《からくさ》
	10	桃	トウ もも	木 きへん	桃園《とうえん》・白桃《はくとう》 桃《もも》の節句《せっく》
	10	透	トウ すく すかす すける	辶 しんにょう しんにゅう	透明《とうめい》・透写《とうしゃ》 透《す》き間《ま》
	11	盗	トウ ぬすむ	皿 さら	盗難《とうなん》・盗品《とうひん》 盗《ぬす》み聞《ぎ》き
	12	塔	トウ	土 つちへん	鉄塔《てっとう》・仏塔《ぶっとう》 五重《ごじゅう》の塔《とう》
	14	稲	トウ いね いな	禾 のぎへん	水稲《すいとう》・稲作《いなさく》 稲刈《いねか》り
	15	踏	トウ ふむ ふまえる	𧾷 あしへん	踏破《とうは》・雑踏《ざっとう》 踏《ふ》み切《き》り
	18	闘	トウ たたかう	門 もんがまえ	闘争《とうそう》・闘牛《とうぎゅう》 病気《びょうき》と闘《たたか》う
	10	胴	ドウ	月 にくづき	胴衣《どうい》・胴体《どうたい》 胴元《どうもと》

見出し	画数	漢字	読み	部首	部首名	用例
	9	峠	とうげ	山	やまへん	峠道《とうげみち》 峠《とうげ》を越《こ》す
	8	突	トツ つく	穴	あなかんむり	突進《とっしん》・煙突《えんとつ》 突《つ》き当《あ》たる
	12	鈍	ドン にぶい にぶる	金	かねへん	鈍角《どんかく》・鈍痛《どんつう》 決意《けつい》が鈍《にぶ》る
	16	曇	ドン くもる	日	ひ	曇天《どんてん》 薄曇《うすぐも》り
ニ	6	弐	ニ	弋	しきがまえ	弐円《にえん》 弐千円《にせんえん》
ノ	10	悩	ノウ なやむ なやます	忄	りっしんべん	悩殺《のうさつ》・苦悩《くのう》 悩《なや》み事《ごと》
	16	濃	ノウ こい	氵	さんずい	濃度《のうど》・濃淡《のうたん》 濃《こ》いお茶《ちゃ》
ハ	8	杯	ハイ さかずき	木	きへん	一杯《いっぱい》・金杯《きんぱい》 杯《さかずき》を交《か》わす
	15	輩	ハイ	車	くるま	輩出《はいしゅつ》・先輩《せんぱい》 同輩《どうはい》
	8	拍	ハク ヒョウ	扌	てへん	拍手《はくしゅ》・拍車《はくしゃ》 拍子《ひょうし》・拍子木《ひょうしぎ》
	8	泊	ハク とまる とめる	氵	さんずい	宿泊《しゅくはく》・外泊《がいはく》 宿《やど》に泊《と》まる
	8	迫	ハク せまる	辶	しんにょう しんにゅう	迫力《はくりょく》・圧迫《あっぱく》 出発《しゅっぱつ》が迫《せま》る
	16	薄	ハク・うすい うすめる・うす まる・うすらぐ うすれる	艹	くさかんむり	薄氷《はくひょう》・軽薄《けいはく》 薄着《うすぎ》
	19	爆	バク	火	ひへん	爆音《ばくおん》・爆薬《ばくやく》 自爆《じばく》
	14	髪	ハツ かみ	髟	かみがしら	散髪《さんぱつ》・髪結《かみゆ》い 髪型《かみがた》・(白髪《しらが》)
	7	抜	バツ ぬく ぬける ぬかす ぬかる	扌	てへん	抜群《ばつぐん》・選抜《せんばつ》 腰《こし》を抜《ぬ》かす
	14	罰	バツ バチ	罒	あみがしら あみめ よこめ	罰金《ばっきん》・体罰《たいばつ》 罰当《ばちあ》たり
	10	般	ハン	舟	ふねへん	一般《いっぱん》・全般《ぜんぱん》 諸般《しょはん》の事情《じじょう》
	11	販	ハン	貝	かいへん	販売《はんばい》・販路《はんろ》 市販《しはん》
	13	搬	ハン	扌	てへん	搬入《はんにゅう》・搬送《はんそう》 運搬《うんぱん》
	15	範	ハン	⺮	たけかんむり	範囲《はんい》・広範《こうはん》 師範《しはん》・規範《きはん》
	16	繁	ハン	糸	いと	繁栄《はんえい》・繁雑《はんざつ》 繁忙《はんぼう》・繁茂《はんも》
	15	盤	バン	皿	さら	盤石《ばんじゃく》・円盤《えんばん》 地盤《じばん》・基盤《きばん》
ヒ	8	彼	ヒ かれ かの	彳	ぎょうにんべん	彼岸《ひがん》 彼等《かれら》・彼女《かのじょ》
	10	疲	ヒ つかれる	疒	やまいだれ	疲労《ひろう》・気疲《きづか》れ 疲《つか》れた顔《かお》
	10	被	ヒ こうむる	衤	ころもへん	被害《ひがい》・被告《ひこく》 損害《そんがい》を被《こうむ》る
	16	避	ヒ さける	辶	しんにょう しんにゅう	避難《ひなん》・回避《かいひ》 暑《あつ》さを避《さ》ける
	7	尾	ビ お	尸	かばね しかばね	尾行《びこう》・語尾《ごび》 尾頭付《おかしらつ》き
	13	微	ビ	彳	ぎょうにんべん	微細《びさい》・微笑《びしょう》 微熱《びねつ》・機微《きび》
	4	匹	ヒツ ひき	匸	かくしがまえ	匹敵《ひってき》 一匹《いっぴき》
	11	描	ビョウ えがく かく	扌	てへん	描写《びょうしゃ》・素描《そびょう》 花《はな》を描《えが(か)》く
	10	浜	ヒン はま	氵	さんずい	海浜《かいひん》・京浜《けいひん》 浜辺《はまべ》・砂浜《すなはま》
	10	敏	ビン	攵	のぶん ぼくづくり	敏感《びんかん》・敏才《びんさい》 鋭敏《えいびん》・機敏《きびん》
フ	8	怖	フ こわい	忄	りっしんべん	恐怖《きょうふ》 怖《こわ》い顔《かお》
	10	浮	フ うく うかれる うかぶ うかべる	氵	さんずい	浮沈《ふちん》・浮力《ふりょく》 浮《う》く・(浮《うわ》つく)
	12	普	フ	日	ひ	普通《ふつう》・普及《ふきゅう》 普段《ふだん》

画数	漢字	読み	部首	用例
14	腐	フ・くさる・くされる・くさらす	肉 にく	腐心《ふしん》・腐食《ふしょく》 腐《くさ》った肉《にく》
15	敷	(フ)・しく	攵 のぶん・ぼくづくり	敷石《しきいし》・屋敷《やしき》 ふとんを敷《し》く
15	膚	フ	肉 にく	皮膚《ひふ》
15	賦	フ	貝 かいへん	賦与《ふよ》・天賦《てんぷ》 月賦《げっぷ》
15	舞	ブ・まう・まい	舛 まいあし	舞踊《ぶよう》・舞台《ぶたい》 雪《ゆき》が舞《ま》う・舞子《まいこ》
12	幅	フク・はば	巾 はばへん・きんべん	幅員《ふくいん》・全幅《ぜんぷく》 道幅《みちはば》・幅広《はばひろ》
5	払	(フツ)・はらう	扌 てへん	前払《まえばら》い 支払《しはら》い
15	噴	フン・ふく	口 くちへん	噴出《ふんしゅつ》・噴火《ふんか》 火《ひ》を噴《ふ》く
9 ヘ	柄	(ヘイ)・がら・え	木 きへん	大柄《おおがら》・家柄《いえがら》 柄物《がらもの》・かさの柄《え》
16	壁	ヘキ・かべ	土 つち	壁画《へきが》・岸壁《がんぺき》 壁新聞《かべしんぶん》
10 ホ	捕	ホ・とらえる・とらわれる・とる・つかまえる・つかまる	扌 てへん	捕手《ほしゅ》・捕《つか》まる 犯人《はんにん》を捕《と》らえる
15	舗	ホ	舌 した	舗道《ほどう》・舗装《ほそう》 店舗《てんぽ》・(老舗《しにせ》)
8	抱	ホウ・だく・いだく・かかえる	扌 てへん	抱負《ほうふ》・抱《だ》く 抱《いだ》く・抱《かか》える
10	峰	ホウ・みね	山 やまへん	主峰《しゅほう》・秀峰《しゅうほう》 富士《ふじ》の峰《みね》
10	砲	ホウ	石 いしへん	砲火《ほうか》・砲丸《ほうがん》 大砲《たいほう》・鉄砲《てっぽう》
6	忙	ボウ・いそがしい	忄 りっしんべん	忙事《ぼうじ》・多忙《たぼう》 忙《いそが》しい毎日《まいにち》
7	坊	ボウ・ボッ	土 つちへん	坊門《ぼうもん》・宿坊《しゅくぼう》 坊《ぼっ》ちゃん
8	肪	ボウ	月 にくづき	脂肪《しぼう》
9	冒	ボウ・おかす	曰 ひらび・いわく	冒険《ぼうけん》・感冒《かんぼう》 肺《はい》が冒《おか》される
12	傍	ボウ・(かたわら)	亻 にんべん	傍観《ぼうかん》・傍線《ぼうせん》 路傍《ろぼう》
12	帽	ボウ	巾 はばへん・きんべん	帽子《ぼうし》・帽章《ぼうしょう》 学帽《がくぼう》・脱帽《だつぼう》
3	凡	ボン・(ハン)	几 つくえ	凡才《ぼんさい》・凡人《ぼんじん》 平凡《へいぼん》・非凡《ひぼん》
9	盆	ボン	皿 さら	盆地《ぼんち》・旧盆《きゅうぼん》 盆踊《ぼんおど》り
14 マ	慢	マン	忄 りっしんべん	慢心《まんしん》・慢性《まんせい》 我慢《がまん》・高慢《こうまん》
14	漫	マン	氵 さんずい	漫画《まんが》・漫談《まんだん》 漫才《まんざい》・漫遊《まんゆう》
7 ミ	妙	ミョウ	女 おんなへん	妙案《みょうあん》・妙技《みょうぎ》 奇妙《きみょう》・巧妙《こうみょう》
10	眠	ミン・ねむる・ねむい	目 めへん	安眠《あんみん》・冬眠《とうみん》 眠気《ねむけ》・眠《ねむ》り薬《ぐすり》
5 ム	矛	ム・ほこ	矛 ほこ	矛盾《むじゅん》 矛先《ほこさき》
19	霧	ム・きり	雨 あめかんむり	霧散《むさん》・霧吹《きりふ》き 五里霧中《ごりむちゅう》
10	娘	むすめ	女 おんなへん	娘心《むすめごころ》・末娘《すえむすめ》 箱入《はこい》り娘《むすめ》
8 モ	茂	モ・しげる	艹 くさかんむり	繁茂《はんも》 茂《しげ》みの中《なか》
11	猛	モウ	犭 けものへん	猛火《もうか》・猛犬《もうけん》 勇猛《ゆうもう》
14	網	モウ・あみ	糸 いとへん	漁網《ぎょもう》・一網打尽《いちもうだじん》 投網《とあみ》・網元《あみもと》
15	黙	モク・だまる	黒 くろ	黙礼《もくれい》・黙殺《もくさつ》 黙《だま》りこむ
10	紋	モン	糸 いとへん	紋章《もんしょう》・紋付《もんつ》き 家紋《かもん》・指紋《しもん》
21 ヤ	躍	ヤク・おどる	足 あしへん	躍進《やくしん》・活躍《かつやく》 胸《むね》が躍《おど》る

見出し	画数	漢字	読み	部首	部首名	用例
ユ	12	雄	ユウ お おす	隹	ふるとり	雄大《ゆうだい》・英雄《えいゆう》 雄花《おばな》・雄犬《おすいぬ》
ヨ	3	与	ヨ あたえる	一	いち	与党《よとう》・給与《きゅうよ》 お金《かね》を与《あた》える
	13	誉	ヨ ほまれ	言	げん	名誉《めいよ》・栄誉《えいよ》 誉《ほま》れが高《たか》い
	13	溶	ヨウ とける とかす とく	氵	さんずい	溶液《ようえき》・水溶《すいよう》 水《みず》に溶《と》ける
	13	腰	(ヨウ) こし	月	にくづき	腰《こし》が痛《いた》い 腰掛《こしか》け
	14	踊	ヨウ おどる おどり	𧾷	あしへん	舞踊《ぶよう》・踊《おど》り子《こ》 盆踊《ぼんおど》り
	16	謡	ヨウ (うたい) (うたう)	言	ごんべん	謡曲《ようきょく》・歌謡《かよう》 童謡《どうよう》
	17	翼	ヨク つばさ	羽	はね	主翼《しゅよく》・右翼《うよく》 翼《つばさ》を広《ひろ》げる
ラ	13	雷	ライ かみなり	雨	あめかんむり	雷雨《らいう》・遠雷《えんらい》 雷《かみなり》が落《お》ちる
	16	頼	ライ たのむ たのもしい たよる	頁	おおがい	信頼《しんらい》・頼《たよ》る 頼《たの》もしい男《おとこ》
	12	絡	ラク (からめる) (からむ) (からまる)	糸	いとへん	脈絡《みゃくらく》・連絡《れんらく》 短絡的《たんらくてき》
	20	欄	ラン	木	きへん	欄外《らんがい》・欄干《らんかん》 空欄《くうらん》・投書欄《とうしょらん》
リ	18	離	リ はなれる はなす	隹	ふるとり	離散《りさん》・分離《ぶんり》 東京《とうきょう》を離《はな》れる
	11	粒	リュウ つぶ	米	こめへん	粒子《りゅうし》・粒状《りゅうじょう》 砂粒《すなつぶ》
	15	慮	リョ	心	こころ	遠慮《えんりょ》・配慮《はいりょ》 熟慮断行《じゅくりょだんこう》
	17	療	リョウ	疒	やまいだれ	療法《りょうほう》・療養《りょうよう》 医療《いりょう》・治療《ちりょう》
	16	隣	リン となる となり	阝	こざとへん	隣人《りんじん》・隣室《りんしつ》 隣《とな》り合《あ》う・両隣《りょうどなり》
ル	10	涙	ルイ なみだ	氵	さんずい	感涙《かんるい》・落涙《らくるい》 涙声《なみだごえ》
レ	16	隷	レイ	隶	れいづくり	奴隷《どれい》
	17	齢	レイ	歯	はへん	年齢《ねんれい》・高齢《こうれい》 老齢《ろうれい》・妙齢《みょうれい》
	19	麗	レイ (うるわしい)	鹿	しか	麗人《れいじん》・麗筆《れいひつ》 秀麗《しゅうれい》・美麗《びれい》
	14	暦	レキ こよみ	日	ひ	暦年《れきねん》・西暦《せいれき》 暦《こよみ》をめくる
	6	劣	レツ おとる	力	ちから	劣等《れっとう》・劣悪《れつあく》 体力《たいりょく》が劣《おと》る
	10	烈	レツ	灬	れんが れっか	烈火《れっか》・烈風《れっぷう》 痛烈《つうれつ》・熱烈《ねつれつ》
	10	恋	レン こう こい こいしい	心	こころ	恋愛《れんあい》・失恋《しつれん》 恋《こ》い慕《した》う・初恋《はつこい》
ロ	21	露	ロ ロウ つゆ	雨	あめかんむり	露出《ろしゅつ》・露骨《ろこつ》 暴露《ばくろ》・露《つゆ》の間《ま》
	9	郎	ロウ	阝	おおざと	新郎《しんろう》・郎党《ろうとう》 夜郎自大《やろうじだい》
ワ	12	惑	ワク まどう	心	こころ	惑星《わくせい》・困惑《こんわく》 戸惑《とまど》い
	12	腕	ワン うで	月	にくづき	腕力《わんりょく》・腕章《わんしょう》 腕前《うでまえ》・腕《うで》ずく

計	三一三字
5級までの合計	一、〇二六字
るい計	一、三三九字

「部首」で出題される学習漢字

4級試験への出題が予想される学習漢字（5級以下の配当漢字）です。漢字の下が部首。

愛	案	以	員	衛	央	可	何	我	画	界
心	木	人	口	行	大	口	亻	戈	田	田

街	楽	幹	希	基	貴	器	義	疑	久	旧
行	木	干	巾	土	貝	口	羊	疋	ノ	日

求	競	業	禁	句	具	君	軍	系	景	警
水	立	木	示	口	八	口	車	糸	日	言

券	元	原	厳	固	五	后	幸	皇	興	穀
刀	儿	厂	⺍	囗	二	口	干	白	臼	禾

困	差	再	祭	最	裁	在	罪	冊	参	産	四	市
囗	工	冂	示	曰	衣	土	罒	冂	厶	生	囗	巾

史	司	死	姿	視	歯	次	児	辞	者	尺	酒	受
口	口	歹	女	見	歯	欠	儿	辛	耂	尸	酉	又

州	周	衆	重	熟	術	準	処	初	所	書	署	承
川	口	血	里	灬	行	氵	几	刀	戸	曰	罒	手

将	章	勝	象	商	照	乗	常	申	真	新	垂	世
寸	立	力	豕	口	灬	ノ	巾	田	目	斤	土	一

成	省	盛	聖	静	整	席	宣	泉	戦	前	然	善
戈	目	皿	耳	青	攵	巾	宀	水	戈	刂	灬	口

漢字	部首
争	亅
奏	大
窓	穴
束	木
卒	十
率	玄
存	子
尊	寸
帯	巾
台	口
題	頁
炭	火
男	田
置	罒
着	羊
昼	日
兆	儿
直	目
賃	貝
弟	弓
底	广
努	力
冬	冫
東	木
登	癶
同	口
堂	土
毒	母
南	十
乳	乚
熱	灬
年	干
売	士
買	貝
博	十
半	十
番	田
美	羊
必	心
表	衣
票	示
負	貝
武	止
奮	大
分	刀
兵	八
並	一
変	夂
弁	廾
勉	力
墓	土
報	土
亡	亠
望	月
暴	日
密	宀
民	氏
務	力
無	灬
夢	夕
命	口
鳴	鳥
夜	夕
由	田
有	月
勇	力
養	食
乱	乚
卵	卩
裏	衣
両	一
良	艮
量	里
臨	臣
令	人
歴	止
老	耂
労	力

六

漢字	部首
六	八

特別な読み（熟字訓・当て字）

小豆《あずき》　竹刀《しない》　日和《ひより》
意気地《いくじ》　老舗《しにせ》　吹雪《ふぶき》
田舎《いなか》　芝生《しばふ》　土産《みやげ》
海原《うなばら》　三味線《しゃみせん》　息子《むすこ》
乳母《うば》　砂利《じゃり》　紅葉《もみじ》
浮《うわ》つく　白髪《しらが》　木綿《もめん》
笑顔《えがお》　太刀《たち》　最寄《もよ》り
為替《かわせ》　立《た》ち退《の》く　大和《やまと》
仮名《かな》　梅雨《つゆ》　行方《ゆくえ》
＊心地《ここち》　名残《なごり》　若人《わこうど》
五月《さつき》　二十《はたち》
五月雨《さみだれ》　二十歳《はたち》
時雨《しぐれ》　波止場《はとば》
お巡《まわ》りさん
差《さ》し支《つか》える

＊「居心地《いごこち》」として使用可

4級に出る四字熟語

本試験に出題されそうな四字熟語、計二二五語を収めました。四字熟語は意味といっしょに覚えるのがコツです。

あ

愛別離苦《あいべつりく》
親子、兄弟、夫婦など、愛する人との別れのつらさ、悲しさ。

青息吐息《あおいきといき》
心配や苦労のあまり、心身ともに弱ったときに吐《は》くため息。また、ため息の出るような状態。

悪逆無道《あくぎゃくむどう》
人として行う道に、はなはだしくそむいた、悪い行い。「無道」は「ぶどう」「ぶとう」とも読む。類語に「極《ごく》悪《あく》非道」がある。

悪事千里《あくじせんり》
とかく悪い行いや評判は、すぐに広く知れわたるということ。

悪戦苦闘《あくせんくとう》
強敵に対しての死に物狂いの苦しい戦い。転じて、困難に打ち勝とうと苦労しながら努力すること。

悪口雑言《あっこうぞうごん》
口にまかせていろいろ悪口を言うこと。

暗雲低迷《あんうんていめい》
前途多難な状態が続くこと。また、雲が低くたれこめ、なかなか晴れそうにないこと。

暗中飛躍《あんちゅうひやく》
世間に知られないようにひそかに裏に回り策を練ること。暗《あん》躍《やく》。類語に「裏《り》面《めん》工作」がある。

い

意気消沈《いきしょうちん》
元気がなくしょげ返っていること。失望してがっかりしていること。

意気投合《いきとうごう》
心持ちが互いにぴったりと合い一つになること。

異口同音《いくどうおん》
大勢の人々が口をそろえて同じことを言うこと。多くの人の意見が一《いっ》致《ち》すること。

意志堅固《いしけんご》
考えや志がしっかりしていること。

意志薄弱《いしはくじゃく》
意志の力が弱くて、がまんできなかったり、決断できなかったりすること。類語に「優《ゆう》柔《じゅう》不断」がある。

以心伝心《いしんでんしん》
考えや思っていることが言葉を使わずに、互いの心から心に伝わること。

一意専心《いちいせんしん》
他に心をうばわれずに、そのことだけに心を向ける。一つのことのみに心を注ぐこと。類語に「一心不乱」がある。

一日千秋《いちじつせんしゅう》
「一日」は「いちにち」とも読む。大変待ち遠しい気持ち。「一日千秋の思い」と使う。類語に「一日三秋」「一刻千秋」がある。

一念発起《いちねんほっき》
あることを成しとげようとか、改めようと決心すること。もとは思い立って仏門に入ること。

一罰百戒《いちばつひゃっかい》
一つのあやまちや罪を罰《ばっ》することにより、同じような罪を犯《おか》さないように他の大勢の人々のいましめとすること。

一病息災《いちびょうそくさい》
多少気になるくらいの軽い病を持っていたほうが無理をせず長生きするということ。

一望千里《いちぼうせんり》
とても見晴らしのよいことのたとえ。広大ながめを一目で見渡せること。「一望」は一目で見渡すこと。

一網打尽《いちもうだじん》
網《あみ》を一打ちしてその周辺にいる魚を残らずとらえること。転じて、一度に悪党の一味や敵対する者すべてをとらえつくすこと。

一陽来復《いちようらいふく》
冬が終わって春がやってくること。悪いことや苦しい時期が過ぎて、待ちかねた幸運がやっとめぐりくること。

一挙両得《いっきょりょうとく》

たった一つのことをするだけで、二つの利益をあげること。「一挙」は一つの動作、一回の仕事。類語に「一石二鳥」がある。

一件落着《いっけんらくちゃく》

物事が解決すること。「一件」は一つのこと、「落着」は決まりがつく。

一刻千金《いっこくせんきん》

わずかなひとときが、千金の値打ちがあるくらい貴重であること。

一触即発《いっしょくそくはつ》

互いににらみ合って対立している勢力が、ちょっとふれ合うだけで爆発しそうな、非常に切迫《せっぱく》している状態。類語に「危機一髪《いっぱつ》」がある。

一心不乱《いっしんふらん》

一つのことに集中して心を乱さないこと。類語に「一意専心」がある。

一寸光陰《いっすんのこういん》

月日が知らぬ間に過ぎ去っていくこと。光が通り過ぎるくらいのほんのわずかな間のこと。

一石二鳥《いっせきにちょう》

一つの石を投げて二羽の鳥を同時に撃《う》ち落とすことから、一つの行為をするだけで、二つの利益をあげること。類語に「一挙両得」がある。

一朝一夕《いっちょういっせき》

一朝か一晩。転じて、短いとき。

一刀両断《いっとうりょうだん》

一太刀《たち》で物を真っ二つに切る。ためらわず、すばやく物事を処理したり、解決したりすること。

威風堂堂《いふうどうどう》

重重しくどっしりと威《い》力《りょく》に満ちているようす。

意味深長《いみしんちょう》

人の行動や言葉、詩文などの意味が深く、ふくみがあること。

う

有為転変《ういてんぺん》

この世の中は激しく移り変わり、しばらくも一定の状態にないこと。「転変」は「てんぺん」とも読む。

有象無象《うぞうむぞう》

宇宙にある有形、無形のいっさいのもの。

雲散霧消《うんさんむしょう》

雲や霧《きり》が風や太陽の光にあたって消えうせるように、物事が一時に消えてなくなること。あとかたもなくなること。

お

温故知新《おんこちしん》

古いものをたずね求めて新たな意味を知ること。「温」はたずね求める。

音吐朗朗《おんとろうろう》

声などが豊かでさわやかなこと。

か

花鳥風月《かちょうふうげつ》

自然の美しい景色や風流な遊び。

我田引水《がでんいんすい》

自分の田へ水を引くこと。転じて、自分の都合のよいように言ったり、したりすること。

完全無欠《かんぜんむけつ》

どこから見ても欠点や不足がないこと。

き

危機一髪《ききいっぱつ》

髪《かみ》の毛一本ほどのほんのわずかなちがいで、非常に危険な状態になりそうな瞬間《しゅんかん》、状況《じょうきょう》のこと。

危急存亡《ききゅうそんぼう》

危険がせまっていて、生き残るかほろびるかのせとぎわのこと。

起死回生《きしかいせい》

今にも死にそうな病人を生き返らせること。また、崩壊《ほうかい》寸前の状態を救い、好転させること。

起承転結《きしょうてんけつ》

文章の組み立て方や、物事の順序のこと。

喜色満面《きしょくまんめん》

顔中に喜びの表情があふれているさま。「色」は表情、「満面」は顔全体のこと。

疑心暗鬼《ぎしんあんき》

疑う心があると、なんでもないことまであやしく感じられるようになること。

奇想天外《きそうてんがい》
普通の人には思いつかないような、大変変わった考え。

鬼面仏心《きめんぶっしん》
外見は怖《こわ》い顔をしているが、仏のように優《やさ》しい心を持っていること。また、その人。対語に「人面獣心《じゅうしん》」がある。

牛飲馬食《ぎゅういんばしょく》
牛が水を飲むように、馬が草を食べるように、たくさん飲んだり食べたりすること。

九牛一毛《きゅうぎゅうのいちもう》
とるにたらないささいなこと。「九牛」は九頭の牛、多数の牛。「一毛」は一本の毛。多数の中のごくわずかな一部分の意。

旧態依然《きゅうたいいぜん》
昔からの状態がそのまま続いていて少しも変化、進歩しないさま。類語に「十年一日《いちじつ》」がある。

急転直下《きゅうてんちょっか》
物事のようす、なりゆきが急に変わって、解決に向かうこと。

狂喜乱舞《きょうきらんぶ》
非常に喜ぶさま。

驚天動地《きょうてんどうち》
天を驚《おどろ》かし、地を動かす意で、世間を大いに驚かすこと。

挙国一致《きょこくいっち》
国民全体が、心を一つにして同じ目的に向かうこと。非常事態のときに用いられる言葉。

金科玉条《きんかぎょくじょう》
金や玉のように大切な法律。一番重要な規則。

金城鉄壁《きんじょうてっぺき》
金や鉄のような城壁《じょうへき》を持つ堅固《けんご》な城。転じて、物事が非常に堅固であることのたとえとして使われる。

金城湯池《きんじょうとうち》
きわめて守りの堅《かた》い城と堀《ほり》。「湯池」は熱湯をたたえた堀の意。転じて、攻めても近寄れない、非常に守りが堅《かた》いこと。類語に「金城鉄壁」「難攻《なんこう》不落」がある。

く

空前絶後《くうぜんぜつご》
過去に比べられる例がなく、将来にもないと思われるほど非常にまれなさま。

君子三戒《くんしのさんかい》
君子が自戒すべき三つのいましめ。少年期の女色、壮年期《そうねんき》の争い、老年期の物欲のこと。

群雄割拠《ぐんゆうかっきょ》
多くの英雄《えいゆう》が各地で勢力を張り、対立すること。

け

兼愛無私《けんあいむし》
区別なく広く人を愛すること。

言行一致《げんこういっち》
言葉と行動が食いちがわないこと。類語に「有言実行」がある。

現状維持《げんじょういじ》
現在の状況《じょうきょう》がそのまま変化しないこと。類語に「現状保持」がある。

こ

行雲流水《こううんりゅうすい》
物事に執着せず、自然に任せて行動すること。

厚顔無恥《こうがんむち》
あつかましく恥《はじ》知らずなさま。

好機到来《こうきとうらい》
ちょうどよい機会がくること。絶好の機会にめぐまれること。

光彩陸離《こうさいりくり》
美しい光が、まばゆいばかりに輝《かがや》くさま。「陸離」はきらきらと光り輝くさまをいう。

公私混同《こうしこんどう》
公的、私的のけじめをつけないこと。

公序良俗《こうじょりょうぞく》
公共の秩序《ちつじょ》と、善良な風俗。

公平無私《こうへいむし》
すべての判断、行動などがかたよらず、個人的な感情、利益などをいっさい加えないさま。類語に「公明正大」「公正平等」がある。

公明正大《こうめいせいだい》
心が公平でかたよらず、私心がなく正しい意。

極楽往生《ごくらくおうじょう》
この世を去ってのち、

極楽浄土《じょうど》に生まれ変わること。また、安らかに死ぬこと。

後生《ごしょう》大事《だいじ》
心をこめてはげみ、物を大事にあつかうこと。

故事《こじ》来歴《らいれき》
昔から伝えられてきた物事についてのいわれや経過。「故事」とは昔から伝わる話や、物事のいわれ。「古事」とも書く。

骨肉《こつにく》相食《そうしょく》
肉親同士が争うこと。「骨肉」は親子兄弟の血族。「骨肉、相食《あいは》む」とも読む。

五里《ごり》霧中《むちゅう》
霧《きり》が深く方向がつかめないこと。現状がつかめず方針を立てる手がかりがない状態。

言語《ごんご》道断《どうだん》
あまりのひどさにあきれて言葉も出ない、言葉にならないこと。「道断」は説明することができないという意。

さ

歳月《さいげつ》不待《ふたい》
年月はすみやかに過ぎ去り、人の都合など待ってはくれないということ。時間を大切にすべきことをいう。

才色《さいしょく》兼備《けんび》
すぐれた才能を持ち、美ぼうもかね備えている女性。「色」はようす、人間でいう容ぼうのこと。「才色」は「さいしき」とも読む。

三寒《さんかん》四温《しおん》
冬の時期、寒い日が三日続き、そのあと暖かい日が四日続くこと。

山紫《さんし》水明《すいめい》
山が陽光を受けて紫《むらさき》色に映え、流れる川の水は澄《す》んで清らかなこと。

し

思案《しあん》投首《なげくび》
あれこれ思いめぐらしてもよい案が浮かばず、困り果てて首を垂れ、考えこんでいる状態。

自画《じが》自賛《じさん》
自分のことを自分でほめること。「賛」は絵画に書きそえる詩文で、通常は他人に書いてもらうもの。自分の描いた絵に自分で賛を書く意。

色即《しきそく》是空《ぜくう》
仏教の根本思想の一つで、この世のすべての物には形があるが、形は実在ではなく本質は空《くう》である、という意。

自給《じきゅう》自足《じそく》
自らに必要な物資を他に求めず、全て自分でまかない十分に足りるようにすること。

自己《じこ》矛盾《むじゅん》
一人の人の言葉や行動が前後でつじつまが合わないこと。言うことと行うことが矛盾していること。

事実《じじつ》無根《むこん》
根も葉もないこと。事実にもとづいていないこと。でたらめ。

志操《しそう》堅固《けんご》
正しいと信じる主義や志がしっかりと定まっていて、容易にはくずれないこと。

七転《しちてん》八起《はっき》
失敗を重ねても、くじけることなく奮起すること。「七転び八起き」の漢語表記。

七転《しちてん》八倒《ばっとう》
激しい苦痛のために転げまわること。「七」「八」は数が多いこと。

七難《しちなん》八苦《はっく》
いろいろな困難や多くの苦悩《くのう》。仏教語で、七つの災《わざわ》いと八つの苦しみのこと。

失笑《しっしょう》噴飯《ふんぱん》
あまりのおかしさをおさえきれずに、食べている飯をふき出して笑ってしまうこと。また、その飯。

弱肉《じゃくにく》強食《きょうしょく》
弱いものが強いものに食われること。生存競争の激しさをいう。

縦横《じゅうおう》無尽《むじん》
この上なく自由自在で、思う存分にふるまうこと。類語に「自由自在」「縦横自在」がある。

衆人《しゅうじん》環視《かんし》
多くの人が取り巻いて見ていること。物事が白日のもとにさらされることについてもいう。

主客転倒《しゅかくてんとう》
主人と客が入れ替わることで、重要な事柄《ことがら》と取るに足らない事柄、人や物事の軽重《けいちょう》が逆になること。「主客」は「しゅきゃく」とも読む。類語に「本末転倒」がある。

熟慮断行《じゅくりょだんこう》
じっくり考えた上で思い切って実行すること。

出処進退《しゅっしょしんたい》
とどまるか否《いな》かの自分の身の振り方。

上意下達《じょういかたつ》
上位者の指示や命令を、下位者に徹底《てってい》させること。

笑止千万《しょうしせんばん》
非常にくだらなくて、ばかばかしいこと。「笑止」はおかしい、ばかばかしい。「千万」はこの上なくひどい。

自力更生《じりきこうせい》
他人に頼らず自分の力で生活を改めていくこと。

思慮分別《しりょふんべつ》
よく考えて判断すること。また、その能力。類語に「熟慮断行」がある。

人海戦術《じんかいせんじゅつ》
多数の人員を投じて仕事を完成させること。「人海」は人が多数集まって海のように見えるさま。

心機一転《しんきいってん》
あることをきっかけとして、気持ちをすっかり入れかえて出直すこと。

真剣勝負《しんけんしょうぶ》
本気で勝ち負けを争うこと。

人事不省《じんじふせい》
病気やけがなどで意識を失う。こん睡《すい》状態におちいる。類語に「前後不覚」がある。

尋常一様《じんじょういちよう》
ごくあたりまえのこと。とおりいっぺん。

信賞必罰《しんしょうひつばつ》
ほめることと、罰《ばっ》することのけじめを厳正にすること。

針小棒大《しんしょうぼうだい》
針のように小さなことを、棒ほどもあったように大きく言う。

人心一新《じんしんいっしん》
人々の気持ちをすっかり新しくすること。

新進気鋭《しんしんきえい》
新たに参加したてで非常に意気込み、勢いが盛んなこと。また、その人。

人跡未踏《じんせきみとう》
いまだかつて、人が足をふみ入れたことのないこと。

身体髪膚《しんたいはっぷ》
身体全体のこと。身体と髪《かみ》や皮膚《ひふ》を指し、頭の先から足の先までの意。

震天動地《しんてんどうち》
天地を動かすほどの大事件。類語に「驚天動地《きょうてんどうち》」がある。

人品骨柄《じんぴんこつがら》
人柄やふうさい。「人品」は品性、「骨柄」は体つきから受ける風格。

人面獣心《じんめんじゅうしん》
人間らしい心を持たない人のこと。顔は人間であるが心は獣《けもの》の意から。

す

頭寒足熱《ずかんそくねつ》
頭部を冷やして足を温めること。健康によいとされる。

寸鉄殺人《すんてつさつじん》
短くて鋭いたった一言で、相手の弱点や欠点をつくこと。「寸鉄、人を殺す」とも読む。類語に「頂門《ちょうもん》一針《いっしん》」がある。

せ

晴耕雨読《せいこううどく》
晴れた日は田畑の仕事をし、雨が降れば家にこもって読書し、気の向くままの生活をすること。

聖人君子《せいじんくんし》
優れた知識や徳をもつ立派な人物のこと。類語に「聖人賢者《けんじゃ》」がある。

青天白日《せいてんはくじつ》
よく晴れた天気のこと。転じて、心にやましいことがなく、また、後ろめたさもなく、潔白であること。

生離死別《せいりしべつ》
このうえなく悲痛な別れ。生きながら離ればなれになることと、死んで永遠に別れること。

絶体絶命《ぜったいぜつめい》
せっぱつまってどうにも逃れられない困難な状態。

是非善悪《ぜひぜんあく》
物事のよしあし。類語に「是非曲直」「理非曲直」がある。

浅学非才《せんがくひさい》
学識が浅く未熟であること。「非」は「菲」（1級）とも書く。

千客万来《せんきゃくばんらい》
大勢の客がひっきりなしにやってくること。

前後不覚《ぜんごふかく》
物事の後先の判断がつかなくなるほど正気を失うこと。

千差万別《せんさばんべつ》
いろいろなものそれぞれに相違や差異があること。「万別」は「まんべつ」とも読む。類語に「多種多様」がある。

千紫万紅《せんしばんこう》
さまざまな色。色彩豊かで、さまざまな花が咲きほこっていること。

前人未到《ぜんじんみとう》
だれも足を踏み入れていないこと。まだだれも到達していないこと。「未到」は「未踏」とも書く。

先手必勝《せんてひっしょう》
相手より先に攻撃すれば必ず勝つ。

前途多難《ぜんとたなん》
将来、いろいろと困難の多いことが予想されること。対語に「前途有望」「前途洋洋」がある。

前途有望《ぜんとゆうぼう》
将来に大いに見込みがあること。類語に「前途有《ゆう》為《い》」「前途洋洋」がある。

千慮一失《せんりょのいっしつ》
かしこい者が、どんなに入念に考えたことでも、一つぐらいは失敗やまちがいがあるということ。対語に「千慮一得」がある。

千慮一得《せんりょのいっとく》
おろか者の考えの中にも一つぐらいはよいものがあるということ。対語に「千慮一失」がある。

善隣友好《ぜんりんゆうこう》
隣国や隣家などに友情を持つこと。外交上、友好関係を結ぶこと。

そ

創意工夫《そういくふう》
ものを新たに考え出し、いろいろな手段をめぐらすこと。

草行露宿《そうこうろしゅく》
草の茂《しげ》った野原を分けて進み、野宿をしながら旅を続けること。

相即不離《そうそくふり》
密接な関係で切り離すことができないこと。

速戦即決《そくせんそっけつ》
戦いが長引くことをさけて、勝ち負けを一気にその場で決すること。転じて、物事の決着をすみやかにつけること。

即断即決《そくだんそっけつ》
間をおかずに決断すること。対語に「優柔《ゆうじゅう》不断」がある。

則天去私《そくてんきょし》
自然の道理に従い、せまく小さな自分を捨てて気高く生きること。

率先垂範《そっせんすいはん》
先頭に立って積極的に行動し模《も》範《はん》を示すこと。「率先」は先に立って行動する、「垂範」は手本を示す。

た

大器晩成《たいきばんせい》
大きな器や道具は完成に長い年月がかかる。偉大な人物は、若いころは目立たず、じょじょに実力を養い、晩年に大成するということ。

大義名分《たいぎめいぶん》
事を行う際の正当な理由。人として守るべき道義。

大山鳴動《たいざんめいどう》
一般に「大山鳴動してねずみ一匹」と用い、大きな山が鳴り動くほどの騒動のわりには結果が小さいこと。

多事多端《たじたたん》
仕事や事件が多くて忙しいこと。類語に「多事多忙」がある。

多事多難《たじたなん》
事件が多く、困難なこ

とが多いこと。

他力本願《たりきほんがん》
自分で努力せず、もっぱら他人の力をあてにすること。

単刀直入《たんとうちょくにゅう》
たった一本の刀で敵の中に切りこむことから、前置きなしにいきなり要点に入ること。

談論風発《だんろんふうはつ》
考えを活発に話し合うこと。議論が続出するさま。

ち

知者不惑《ちしゃふわく》
本当にかしこい人は道理をわきまえているので、事にあたって判断に迷うことはないということ。

忠言逆耳《ちゅうげんぎゃくじ》
忠告は聞きにくいものだが、自分にとって真にためになるものだということ。「忠言は耳に逆らう」とも読む。

昼夜兼行《ちゅうやけんこう》
昼も夜も休まずに進むこと。転じて、仕事などを続けて行うこと。類語に「不眠不休」がある。

朝令暮改《ちょうれいぼかい》
朝、命令を出して夕にそれを改めることから、法律や命令が出るたびにすぐ変わってあてにならないこと。

直情径行《ちょくじょうけいこう》
感情のおもむくままに行動に移すこと。「直」も「径」もまっすぐの意。

沈思黙考《ちんしもっこう》
静かにじっとして、深く考えこむこと。

て

適材適所《てきざいてきしょ》
その人の才能、能力に適した仕事を与えること。「材」は「才」と同じで、才能のこと。

電光石火《でんこうせっか》
いなずまの光と火打ち石を打って出る火花。非常に時間の短いこと。また、行動がきわめて速いこと。

天変地異《てんぺんちい》
雷《かみなり》、暴風、地震《じしん》など、自然界に起こる異変。類語に「天変地変」がある。

と

当意即妙《とういそくみょう》
その場にふさわしいタイミングで即座の機転をきかすこと。

同工異曲《どうこういきょく》
見かけは違うようでも内容は似たり寄ったりであること。

同床異夢《どうしょういむ》
いっしょに暮らしてはいるが、別々のことを考えている状態。また同じ仕事にたずさわりながら目標が異なっていること。

得意満面《とくいまんめん》
望み通りになって満足した気持ちが顔いっぱいにあらわれるようす。類語に「喜色満面」がある。

独断専行《どくだんせんこう》
他の人に相談しないで自分一人で判断し、自分の思うままに勝手に実行すること。

な

難攻不落《なんこうふらく》
守りが堅《かた》くて攻《せ》め落としにくい。転じて、相手がなかなかこちらの思い通りにならないこと。

南船北馬《なんせんほくば》
あちこち広く旅行すること。中国では、南は川が多いので船を使い、北は山が多いので馬で往来したことによる。

に

二束三文《にそくさんもん》
二束《たば》でわずか三文の意。多く捨て売りの場合の値段をいう。

日常茶飯《にちじょうさはん》
普段の食事。転じて、ありふれた平凡な物事。

は

波及効果《はきゅうこうか》
波が広がるように伝わっていく物事の影響。

博学多才《はくがくたさい》
広くいろいろな学問に通じ、多方面にすぐれた才能を持っていること。

薄志弱行《はくしじゃっこう》
意志が弱くて実行力が足りないこと。

白砂青松《はくしゃせいしょう》
「白砂」は「はくさ」とも読む。白い砂と松の緑のこと。海岸の美しい風景をいう。

博覧強記《はくらんきょうき》

ひろく書物を読み、そのことを記《き》憶《おく》していること。「博覧」は物事をよく聞き知る、「強記」は記憶力がよいこと。

薄利多売《はくりたばい》

利益の少ない商品を、大量に売ることで全体としての利益を上げること。

馬耳東風《ばじとうふう》

他人からの意見や批判に無関心で注意を払わないこと。「東風」は心地よい春風。

半信半疑《はんしんはんぎ》

真意を疑い、決めかねること。

ひ

美辞麗句《びじれいく》

美しく飾《かざ》ったたくみな言葉。主にお世辞を言うための言葉や言いまわし。

百代過客《ひゃくだいのかかく》

永遠に止まることのない旅人。「過客」は旅人。歳月が過ぎ去っても帰らない旅人にたとえた言葉。「過客」は「かきゃく」とも読む。

百家争鳴《ひゃっかそうめい》

多くの学者が自由に論争すること。

百鬼夜行《ひゃっきやこう》

いろいろな化け物が夜になると動き回る。転じて、悪人どもが自分勝手なふるまいをすること。

氷炭相愛《ひょうたんそうあい》

氷と炭のようにお互いに性質の異なるものが、それぞれの性質を利用して助け合うこと。

比翼連理《ひよくれんり》

「比翼の鳥、連理の枝」の略。いつも翼《つばさ》を並べて飛ぶ鳥と、二本の木の枝がくっついて木目が一つにつながった枝。転じて、夫婦の愛情の深いこと。

品行方正《ひんこうほうせい》

行い、行状がきちんとして正しいこと。

ふ

武運長久《ぶうんちょうきゅう》

戦いの場での幸運が長く続くこと。

不可抗力《ふかこうりょく》

人の力では防ぎきれない外部からの力。

浮石沈木《ふせきちんぼく》

石を浮かしたり木を沈めたり、自然の作用や動きに無理やり逆らうこと。

不即不離《ふそくふり》

つかず離れずの関係。あたらずさわらずのあいまいなさま。

物情騒然《ぶつじょうそうぜん》

世間、世人がおだやかでなく物《ぶっ》騒《そう》な状態。

不眠不休《ふみんふきゅう》

眠《ねむ》らず、休まないこと。期限が迫《せま》っているなど、せっぱつまった状態のときに必死に努めるさま。

付和雷同《ふわらいどう》

自分なりの確固とした考えを持たず、他人の説や判断に軽々しく同調すること。「付和」は「附和」とも書く。

粉飾決算《ふんしょくけっさん》

会社の経営内容を実際よりもよく見せるために、決算の数字をごまかすこと。

ほ

暴飲暴食《ぼういんぼうしょく》

度を過ぎた飲食をすること。類語に「牛飲馬食」がある。

傍若無人《ぼうじゃくぶじん》

人を人とも思わないような態度や言動。人前をはばからず勝手気ままにふるまうこと。類語に「得《え》手《て》勝手」がある。

抱腹絶倒《ほうふくぜっとう》

腹をかかえて倒れるほど大笑いするさま。

本末転倒《ほんまつてんとう》

根本の大切なことと、枝葉のつまらないことを取り違えること。類語に「主客《しゅかく》転倒」がある。

ま

漫言放語《まんげんほうご》

深く考えずにいい加減なことを言いたい放題しゃべりまくること。

み

妙計奇策《みょうけいきさく》

人の意表をついた奇抜《きばつ》ですぐれたはかりごと。

む

無為無策《むいむさく》

有効な手立てが何もな

いまま、何もできずに手をこまぬいていること。

無我夢中《むがむちゅう》
物事に熱中して自分を忘れ、他のことをかえりみないこと。

無味乾燥《むみかんそう》
少しもおもしろみや味わいのないこと。「無味」は内容がない、「乾燥」はうるおいがない。

め

明鏡止水《めいきょうしすい》
くもりのない鏡と静かな水面。転じて、心にくもりがなく静かに落ち着いているさま。

名所旧跡《めいしょきゅうせき》
美しい景色で名高い場所と、歴史のおもかげをとどめる場所。

迷惑千万《めいわくせんばん》
たいへん迷惑なこと。類語に「迷惑至極《しごく》」がある。

面目一新《めんもくいっしん》
「面目」は「めんぼく」とも読む。体裁《ていさい》をこれまでとがらりと変えること。「面目」は世間的な体裁、「一新」は古いことを改めること。

も

門外不出《もんがいふしゅつ》
秘蔵して、人に見せたり持ち出したりしないこと。貴重なものを、家の門から外へは出さない意。

門戸開放《もんこかいほう》
制限をなくし、自由にすること。

や

薬石無効《やくせきむこう》
いろいろ治療《ちりょう》したが効果がないこと。人の病死を知らせるときなどに使う。

夜郎自大《やろうじだい》
世間知らずが、いばっている。身のほど知らず。

ゆ

優柔不断《ゆうじゅうふだん》
決断力に欠け、いつまでもぐずぐずしていること。

有名無実《ゆうめいむじつ》
名ばかりで、実質がともなわないこと。評判と実際とが違っていること。

油断大敵《ゆだんたいてき》
注意をおこたれば必ず失敗を招くから警戒《けいかい》せよといういましめ。

よ

用意周到《よういしゅうとう》
用意が十分にととのって抜かりのないこと。「用意」は心づかい、「周到」は手落ちのないこと。

要害堅固《ようがいけんご》
備えの堅《かた》いこと。「要害」は地勢が険しく、攻《せ》めるのに難しく守るのにたやすい地。

容姿端麗《ようしたんれい》
姿、形がきちんととのっていて美しいこと。

羊腸小径《ようちょうしょうけい》
羊のはらわたのように曲がりくねった山の小道。

り

離合集散《りごうしゅうさん》
離れたり集まったりすること。また、そのくり返し。

立身出世《りっしんしゅっせ》
社会的な地位を確立して名をあげること。

理非曲直《りひきょくちょく》
道理にかなっていることと外れていること。また、正しいことと間違っていること。

理路整然《りろせいぜん》
話や意見や物事の筋道が、きちんとしている。

臨機応変《りんきおうへん》
その場に臨《のぞ》み変化に応じて最も適当な手段をほどこすこと。そのさま。

ろ

論功行賞《ろんこうこうしょう》
功績をよく考えてそれに応じた賞を与えること。「功」はてがら、「賞」はほうび。

論旨明快《ろんしめいかい》
議論のおもな意味が、はっきり筋道が通っていてわかりやすいこと。対語に「論旨不明」がある。

〈おもな参考図書〉
『実用・四字熟語辞典』
長島猛人編（成美堂出版）
〈補助的参考図書〉
『漢検・四字熟語辞典・第二版』
（公財）日本漢字能力検定協会編
（公財）日本漢字能力検定協会

本書記載の情報は制作時点のものです。受検をお考えの方は、必ずご自身で下記の公益財団法人 日本漢字能力検定協会の発表する最新情報をご確認ください。

公益財団法人 日本漢字能力検定協会
【ホームページ】 https://www.kanken.or.jp/
<本部> 京都市東山区祇園町南側 551 番地
ホームページにある「よくある質問」を読んで該当する質問がみつからなければメールフォームでお問合せください。電話でのお問合せ窓口は 0120－509－315（無料）です。

◆「漢検」「漢字検定」は公益財団法人 日本漢字能力検定協会の登録商標です。

本書に関する正誤等の最新情報は、下記のアドレスでご確認ください。
https://www.seibidoshuppan.co.jp/info/honshi-kanken4-2411

◉ 上記アドレスに掲載されていない箇所で、正誤についてお気づきの場合は、書名・質問事項・氏名・住所（または FAX 番号）を明記の上、**成美堂出版**まで**郵送**または **FAX** でお問い合わせください。**お電話でのお問い合わせはお受けできません。**
◉ 本書の内容を超える質問等にはお答えできませんので、あらかじめご了承ください。また、受検指導などは行っておりません。
◉ ご質問の到着確認後10日前後で、回答を普通郵便またはFAXで発送いたします。
◉ ご質問の受付期限は、2025年10月末日到着分までといたします。ご了承ください。

よくあるお問い合わせ

Q **持っている辞書に掲載されている部首と、本書に掲載されている部首が違いますが、どちらが正解でしょうか？**

A 辞書によっては、部首としているものが異なることがあります。**漢検の採点基準では、「漢検要覧 2～10 級対応 改訂版」（日本漢字能力検定協会発行）で示しているものを正解としています**ので、本書もこの基準に従っています。そのためお持ちの辞書と部首が異なることがあります。

本試験型 漢字検定4級試験問題集 '25年版

2024年12月1日発行

編 著 成美堂出版編集部
発行者 深見公子
発行所 成美堂出版
〒162-8445 東京都新宿区新小川町1-7
電話(03)5206-8151 FAX(03)5206-8159
印 刷 大盛印刷株式会社

ISBN978-4-415-23911-8
落丁・乱丁などの不良本はお取り替えします
定価はカバーに表示してあります

本試験型

漢字検定試験問題集

'25年版

解答・解説

4級

矢印方向に引くと別冊の解答・解説が外れます。

成美堂出版

(一) 読み

グレーの部分は解答の補足です

各1点 計30点

1 せいじゃく
2 じゅうい
3 きしょう
4 にゅうわ
5 しだい
6 ひかく
7 けいしゃ
8 ひつじゅひん
9 げじゅん
10 にまん
11 きょうりょう
12 しょうしゅう
13 むじゅん
14 ぞうとう
15 しゅみ
16 てんぷ
17 しゅううん
18 いっしゅん
19 ゆうが
20 ふしょく
21 とうだいもり
22 はまべ
23 こし
24 こうむ(る)
25 あつか(い)
26 ちの(み)
27 さ(けて)
28 えが(く)・か(く)
29 し(かれた)
30 いくじ

4「柔和《にゅうわ》」は性質や態度が優しくおとなしいこと。
11「狭量《きょうりょう》」は人の心や考えを受け入れる心が狭いこと。
17「河川舟運《かせんしゅううん》」は川で物資や人を輸送すること。

(二) 同音・同訓異字

解答の下は選択肢《たくし》の漢字を含む熟語です

各2点 計30点

1 エ 地震《じしん》
2 イ 慎重《しんちょう》
3 ア 振幅《しんぷく》
4 ウ 郵送《ゆうそう》
5 ア 雄大《ゆうだい》
6 オ 有効《ゆうこう》
7 イ 沿線《えんせん》
8 ア 噴煙《ふんえん》
9 オ 順延《じゅんえん》
10 ウ 関与《かんよ》
11 イ 名誉《めいよ》
12 エ 余興《よきょう》
13 ウ 片手《かたて》
14 イ 型紙《かたがみ》
15 ア 肩代《かたが》わり

3「振幅《しんぷく》」は振動している物体が、中心の位置からいちばんゆれた距離。振り幅。
7「沿線《えんせん》」は鉄道や道路に沿ったところにある地域。
9「順延《じゅんえん》」は順番に期日を延ばすこと。
10「関与《かんよ》」はある物事に関係すること。
12「余興《よきょう》」は宴《えん》会などでおもしろみを加えるために行う演芸。

(三) 漢字識別

太字部分は共通する漢字です

各2点 計10点

1 コ 月**影**《つきかげ》・投**影**《とうえい》・**影**武者《かげむしゃ》
2 エ 黒**鉛**《こくえん》・**鉛**色《なまりいろ》・**鉛**管《えんかん》
3 ウ **羽**目《はめ》・**羽**毛《うもう》・**羽**衣《はごろも》
4 カ 本**音**《ほんね》・福**音**《ふくいん》・**音**程《おんてい》
5 キ **陰**気《いんき》・木**陰**《こかげ》・**陰**暦《いんれき》

(四) 熟語の構成

各2点 計20点

1 ウ
2 オ
3 イ
4 エ
5 ア
6 エ
7 イ
8 ウ
9 イ
10 ア

1 **激怒**《げきど》 激（しい）↓怒（り）
2 **無礼**《ぶれい》 無（否定）＋礼（儀）
3 **開閉**《かいへい》 開（く）⇕閉（じる）
4 **耐熱**《たいねつ》 耐（える）↑熱（に）
5 **分別**《ぶんべつ》 どちらも「区別する」の意。
6 **看病**《かんびょう》 看（世話をする）↑病（人の）
7 **貧富**《ひんぷ》 貧（しい）⇕富（豊かだ）
8 **壁画**《へきが》 壁（の）↓画（絵画）
9 **夫婦**《ふうふ》 夫⇕婦（妻）
10 **乾燥**《かんそう》 どちらも「かわく」の意。

問題は本冊 P10~15

（五）部首

各1点 計10点

グレーの部分は部首の名前です

1 ウ 巛（かわ）
2 ウ 木（き）
3 イ 里（さと）
4 ア 目（め）
5 イ 木（き）
6 ア 灬（れんが れっか）
7 イ 土（つち）
8 ウ 釆（のごめへん）
9 エ 衣（ころも）
10 ア 禾（のぎ）

（六）対義語・類義語

各2点 計20点

グレーの部分は解答の補足です

1 詳細《しょうさい》⇔大略《たいりゃく》
2 通称《つうしょう》⇔本名《ほんみょう》
3 授与《じゅよ》⇔受領《じゅりょう》
4 自立《じりつ》⇔依存《いそん》
5 偉人《いじん》⇔凡人《ぼんじん》
6 消息《しょうそく》＝音信《おんしん》
7 薪炭《しんたん》＝燃料《ねんりょう》
8 設立《せつりつ》＝創設《そうせつ》
9 風土《ふうど》＝環境《かんきょう》
10 加勢《かせい》＝援助《えんじょ》

（七）漢字と送りがな

各2点 計10点

1 珍《めずら》しい
2 操《あやつ》る
3 捕《つか》まえ
4 違《ちが》える
5 離《はな》れる

（八）四字熟語

各2点 計20点

グレーの部分は解答の補足です

1 意味《いみ》（深《しん》）長《ちょう》
2 （空《くう》）前絶後《ぜんぜつご》
3 悪口《あっこう》（雑《ぞう》）言《ごん》
4 美《び》（辞《じ》）麗句《れいく》
5 有為《うい》（転《てん》）変《ぺん》
6 （起《き》）死回生《しかいせい》
7 鬼面《きめん》（仏《ぶっ》）心《しん》
8 青息《あおいき》（吐《と》）息《いき》
9 悪戦苦《あくせんく》（闘《とう》）
10 暗中飛《あんちゅうひ》（躍《やく》）

言葉などの意味が奥深いさま。別の意味が込められているさま。
これまでに例がなく、今後もありえないような珍しいこと。
口汚くあれこれとののしること。また、その言葉。
上辺だけを飾《かざ》り立てた、美しいけれども内容を伴っていない言葉。
すべての物事は常に変化しているということ。
崩《ほう》壊寸前の状態を救い、好転させること。
顔は鬼のように恐ろしげだが、心は仏のように優しい人の形容。
困難や苦痛に見舞われているときにつくため息、そのような状況。
困難な状況に中で、苦しみながら努力すること。
世間に知られないようにひそかに裏に回り策を練ること。

（九）誤字訂《てい》正

各2点 計10点

グレーの部分は誤字・正字を含む熟語です

	【誤】		【正】
1	紀節	→	季節
2	不可思義	→	不可思議
3	要究	→	要求
4	局東	→	極東
5	努めた	→	勤めた

（十）書き取り

各2点 計40点

グレーの部分は解答の補足です

1 善戦《ぜんせん》
2 骨子《こっし》
3 依頼《いらい》
4 難局《なんきょく》
5 温厚《おんこう》
6 警察《けいさつ》
7 返却《へんきゃく》
8 豪雨《ごうう》
9 悲嘆《ひたん》
10 紹介《しょうかい》
11 迷惑《めいわく》
12 自慢《じまん》
13 程《ほど》
14 度《たび》
15 張《は》（り）
16 握《にぎ》（り）
17 幾多《いくた》
18 互《たが》（い）
19 誇《ほこ》（り）
20 濃《こ》（い）

1「善戦《ぜんせん》」は力を十分尽くして戦うこと。
2「骨子《こっし》」は考え方の中心。要点。
4「難局《なんきょく》」は困難な局面。処理するのが難しい状況。
5「温厚《おんこう》」は優しく穏《おだ》やかでまじめな様子。
8「豪雨《ごうう》」は激しく勢いよく降る大量な雨。
9「悲嘆《ひたん》」は悲しみ、嘆くこと。
17「幾多《いくた》」は数量の多いこと。
19「誇《ほこ》り」は誇ること。名誉に感じること。

第2回テスト 解答・解説

(一) 読み

各1点 計30点

グレーの部分は解答の補足です

1 じんじょう
2 しょうかい
3 りふじん
4 あくりょく
5 きゅうか
6 すいそうがく
7 しんすい
8 しょっかん
9 てんぷ
10 ようしょく
11 しんちょう
12 かんるい
13 ほうふ
14 すいとう
15 ふんしょく
16 くっし
17 がんゆう
18 つうしょう
19 こうけい
20 じんえい
21 つ(める)
22 みちはば
23 しはら(って)
24 がら
25 と(ざして)
26 つい(やした)
27 いそが(しい)
28 つか(まえた)
29 おか(して)
30 はとば

1「尋常《じんじょう》」は普通であること、普通であるさま。

9「天賦《てんぷ》」は生まれつき授けられているもの。

14「出納《すいとう》」は金銭の出し入れ。

15「粉飾《ふんしょく》」は飾って実際より良いように見せること。

(二) 同音・同訓異字

各2点 計30点

解答の下は選択肢《たくし》の漢字を含む熟語です

1 ウ 恐怖《きょうふ》
2 オ 豆腐《とうふ》
3 イ 浮力《ふりょく》
4 エ 吐露《とろ》
5 オ 途上国《とじょうこく》
6 ア 渡米《とべい》
7 エ 箇所《かしょ》
8 オ 可能《かのう》
9 イ お菓子《かし》
10 イ 朗読《ろうどく》
11 ア 過労《かろう》
12 ウ 新郎《しんろう》
13 オ 放《はな》す
14 ア 離《はな》れて
15 エ 話《はな》す

4「吐露《とろ》」は自分の気持ちなどを隠さずにうちあけること。

10「朗読《ろうどく》」は文章や詩などを、声を出して読むこと。

13「放《はな》す」は手にもっているものやつないでいたものを自由にする。

14「離《はな》す」はくっついているものや二つのものの間を隔《へだ》てる。使い分けに注意しよう。

(三) 漢字識別

各2点 計10点

太字部分は共通する漢字です

1 カ **到**底《とうてい》・殺**到**《さっとう》・**到**達度《とうたつど》
2 オ **獲**物《えもの》・漁**獲**《ぎょかく》・**獲**得《かくとく》
3 ク 却**下**《きゃっか》・**下**手《へた》・川**下**《かわしも》
4 コ **夏**至《げし》・真**夏**《まなつ》・初**夏**《しょか》
5 イ 寝**汗**《ねあせ》・発**汗**《はっかん》・**汗**水《あせみず》

(四) 熟語の構成

各2点 計20点

1 エ
2 オ
3 イ
4 ウ
5 ウ
6 ア
7 イ
8 ア
9 ア
10 エ

防災《ぼうさい》 防(ぐ)↑災(いを)
非才《ひさい》 非(否定)+才(能)
矛盾《むじゅん》 矛(ほこ)↕盾(たて)
普及《ふきゅう》 普(広く全体に)↓及(ぶ)
猛暑《もうしょ》 猛(ひどい)↓暑(さ)
繁茂《はんも》 どちらも「しげる」の意。
攻防《こうぼう》 攻(める)↕防(ぐ)
援助《えんじょ》 どちらも「たすける」の意。
貸与《たいよ》 どちらも「あたえる」の意。
浸水《しんすい》 浸(る)↑水(に)

問題は本冊P16~21

(五) 部首

グレーの部分は部首の名前です

各1点 計10点

1 イ 宀（うかんむり）
2 エ 歹（かばねへん いちたへん がつへん）
3 ア 亅（はねぼう）
4 ウ 寸（すん）
5 ア 大（だい）
6 ア 田（た）
7 ウ 玄（げん）
8 イ 艹（くさかんむり）
9 ア 艹（くさかんむり）
10 ア 一（いち）

(六) 対義語・類義語

グレーの部分は解答の補足です

各2点 計20点

1 是認《ぜにん》⇔否認《ひにん》
2 故意《こい》⇔過失《かしつ》
3 独立《どくりつ》⇔従属《じゅうぞく》
4 経度《けいど》⇔緯度《いど》
5 美名《びめい》⇔汚名《おめい》
6 尾行《びこう》＝追跡《ついせき》
7 横領《おうりょう》＝着服《ちゃくふく》
8 内幕《うちまく》＝裏面《りめん》
9 警戒《けいかい》＝監視《かんし》
10 対照《たいしょう》＝比較《ひかく》

(七) 漢字と送りがな

各2点 計10点

1 著《いちじる》しい
2 傾《かたむ》ける
3 押《お》さえ
4 戒《いまし》める
5 迎《むか》える

(八) 四字熟語

グレーの部分は解答の補足です

各2点 計20点

1 悪逆無《あくぎゃくむ》（道《どう》）
2 （以《い》）心伝心《しんでんしん》
3 金科《きんか》（玉《ぎょく》）条《じょう》
4 公平無《こうへいむ》（私《し》）
5 （威《い》）風堂堂《ふうどうどう》
6 疑心《ぎしん》（暗《あん》）鬼《き》
7 才色《さいしょく》（兼《けん》）備《び》
8 意気消《いきしょう》（沈《ちん》）
9 意志《いし》（堅《けん》）固《ご》
10 （薄《はく》）志弱行《しじゃっこう》

人の道にはずれたひどい行いのこと。
考えが言葉を使わずに、互いの心から心に伝わること。
自分の主義主張を守るための信条のこと。
私的な感情や利益を考えず、物事を公平に進めようとすること。
大いに威厳があり、立派であるさま。
疑い始めると、なんでも疑わしくなってくるということ。
女性が才知と美しさを兼ね備えていること。
元気がなく、しょげる様子。
志がしっかりしていること。
意志や決断力が弱いさま。

(九) 誤字訂正《ていせい》

グレーの部分は誤字・正字を含む熟語です

各2点 計10点

〔誤〕〔正〕

1 決集→結集
2 財原→財源
3 郡発→群発
4 型図→系図
5 改全→改善

(十) 書き取り

グレーの部分は解答の補足です

各2点 計40点

1 外泊《がいはく》
2 冊子《さっし》
3 霧中《むちゅう》
4 倍率《ばいりつ》
5 圧倒《あっとう》
6 土砂《どしゃ》
7 噴火《ふんか》
8 干拓《かんたく》
9 盆地《ぼんち》
10 透明《とうめい》
11 水滴《すいてき》
12 確認《かくにん》
13 飯《めし》
14 敷《し》（く）
15 吸《す》（い）
16 蚕《かいこ》
17 悩《なや》（む）
18 遅《おく》（れる）
19 居残《いのこ》（り）
20 最寄《もよ》（り）

2「冊子《さっし》」は簡単なとじ本。
3「五里霧中《ごりむちゅう》」は物事の様子がわからず、今後の方針や見込みが立たずに困ること。
5「圧倒《あっとう》」はすぐれた力で相手を押さえつけること。
7「噴火《ふんか》」は地下のマグマや溶岩などが噴き出すこと。
8「干拓《かんたく》」は湖沼や海浜などを、堤防を築き排《はい》水して、陸地や耕地にすること。
9「盆地《ぼんち》」は周りを山に囲まれた盆状にくぼんだ土地。
10「透明《とうめい》」は透き通って向こう側がよく見えること。
16「蚕《かいこ》」はカイコガの幼虫。

(一) 読み

各1点 計30点

グレーの部分は解答の補足です

1 かんそう
2 てんじょう
3 そくじつ
4 かいたく
5 におう
6 ぶっそう
7 せいふく
8 こうたく
9 せんど
10 ぜせい
11 ていぞく
12 きそじょう
13 たいきゅう
14 せいそう
15 こうたい
16 せいめい
17 びだくおん
18 ふきゅう
19 ぜんしょ
20 めいそう
21 つばさ
22 あみど
23 せま(った)
24 おど(る)
25 むく(いる)
26 すぐ(れた)
27 おお(しい)
28 ほま(れ)
29 むすめ
30 つゆ

10「是正《ぜせい》」は直して正しくする。
11「低俗《ていぞく》」は下品で程度が低く、俗っぽいこと。
17「鼻濁音《びだくおん》」は鼻へ息を出して発音するガ行の音。
27「雄雄《おお》しい」は男らしく勇ましい。
28「誉《ほま》れ」は名誉。良い評判。

(二) 同音・同訓異字

各2点 計30点

解答の下は選択肢《たくし》の漢字を含む熟語です

1 ウ 権威《けんい》
2 イ 行為《こうい》
3 エ 平易《へいい》
4 イ 熱狂《ねっきょう》
5 エ 供給《きょうきゅう》
6 ウ 絶叫《ぜっきょう》
7 エ 映画《えいが》
8 イ 鋭利《えいり》
9 オ 影響《えいきょう》
10 ウ 舞踊《ぶよう》
11 ア 水溶液《すいようえき》
12 オ 童謡《どうよう》
13 オ 肥《こ》えた
14 イ 越《こ》えた
15 ア 恋《こ》う

1「権威《けんい》」はその道で優《すぐ》れていて尊敬すべき人。
3「平易《へいい》」はたやすいこと。易しくて、わかりやすいこと。
6「絶叫《ぜっきょう》」は可能なかぎり大きな声で叫ぶこと。
8「鋭利《えいり》」はここでは頭の働きが鋭いこと。
10「舞踊《ぶよう》」は音楽に合わせて身体を動かし、意思や感情などを表現する芸術。

(三) 漢字識別

各2点 計10点

太字部分は共通する漢字です

1 キ **鬼**気《きき》・青**鬼**《あおおに》・**鬼**才《きさい》
2 コ **詳**細《しょうさい》・**詳**報《しょうほう》・不**詳**《ふしょう》
3 ア 反**逆**《はんぎゃく》・**逆**手《さかて》・**逆**行《ぎゃっこう》
4 ウ **極**意《ごくい》・究**極**《きゅうきょく》・北**極**点《ほっきょくてん》
5 ク **襲**名《しゅうめい》・因**襲**《いんしゅう》・世**襲**《せしゅう》

(四) 熟語の構成

各2点 計20点

1 ア
2 エ
3 ウ
4 ア
5 ウ
6 イ
7 オ
8 ウ
9 イ
10 エ

依頼《いらい》 どちらも「たよる」の意。
遅刻《ちこく》 遅(れる)↑刻(時間に)
空欄《くうらん》 空(いている)↓欄
思慮《しりょ》 どちらも「思う」の意。
感涙《かんるい》 感(激のあまり流す)↓涙
優劣《ゆうれつ》 優(れる)↕劣(る)
未婚《みこん》 未(否定)+婚。「まだ結婚していない」。
専用《せんよう》 専(特定の人だけが)↓用(いる)
表裏《ひょうり》 表↕裏
在宅《ざいたく》 在(いる)↑宅(自宅に)

問題は本冊 P22~27

（五） 部首

グレーの部分は部首の名前です

各1点 計10点

1 ア 日（ひ）
2 エ 儿（ひとあし にんにょう）
3 イ 日（ひ）
4 エ 山（やまへん）
5 ア 木（き）
6 ウ 弓（ゆみ）
7 イ 手（て）
8 ア 馬（うまへん）
9 ウ ト（と うらない）
10 エ 戸（とだれ とかんむり）

（六） 対義語・類義語

グレーの部分は解答の補足です

各2点 計20点

1 発端《ほったん》⇕終局《しゅうきょく》
2 徴収《ちょうしゅう》⇕納入《のうにゅう》
3 公然《こうぜん》⇕内密《ないみつ》
4 低俗《ていぞく》⇕高雅《こうが》
5 建設《けんせつ》⇕破壊《はかい》
6 改定《かいてい》＝変更《へんこう》
7 他界《たかい》＝永眠《えいみん》
8 冷静《れいせい》＝沈着《ちんちゃく》
9 美辞《びじ》＝麗句《れいく》
10 縁者《えんじゃ》＝親類《しんるい》

（七） 漢字と送りがな

各2点 計10点

1 働《はたら》く
2 等《ひと》しい
3 勧《すす》める
4 輝《かがや》く
5 及《およ》ぼす

（八） 四字熟語

グレーの部分は解答の補足です

各2点 計20点

1 意気《いき》（投《とう》）合《ごう》
2 暗雲低《あんうんてい》（迷《めい》）
3 （故《こ》）事来歴《じらいれき》
4 危《き》（機《き》）一髪《いっぱつ》
5 （雲《うん》）散霧消《さんむしょう》
6 奇《き》（想《そう》）天外《てんがい》
7 狂《きょう》（喜《き》）乱舞《らんぶ》
8 （傍《ぼう》）若無人《じゃくぶじん》
9 一網打《いちもうだ》（尽《じん》）
10 容姿端《ようしたん》（麗《れい》）

互いに気持ちがぴったり合う様子。

暗い雲が垂れ込むように悪い状況が続き、前途不安なこと。

昔から伝わっている事物についてのいわれと歴史。

もう少しで、危険な状態になるところであること。

雲や霧が消えうせるように、物事が跡形もなく消えてなくなること。

普通の人が思いもつかない考え。

気が狂うほどに喜ぶこと。

まるで周囲に誰《だれ》もいないかのように、身勝手に振る舞うさま。

悪人をまとめて捕らえ尽くすこと。

女性の顔形が整って美しいさま。

（九） 誤字訂《てい》正

グレーの部分は誤字・正字を含む熟語です

各2点 計10点

	〔誤〕		〔正〕
1	折近	→	接近
2	功果	→	効果
3	式展	→	式典
4	維示	→	維持
5	謝り	→	誤り

（十） 書き取り

グレーの部分は解答の補足です

各2点 計40点

1 起源《きげん》
2 後輩《こうはい》
3 菓子《かし》
4 視界《しかい》
5 飼育《しいく》
6 若干《じゃっかん》
7 治療《ちりょう》
8 惑星《わくせい》
9 図鑑《ずかん》
10 雷雨《らいう》
11 互角《ごかく》
12 平凡《へいぼん》
13 軽《かろ》（やか）
14 直《ただ》（ちに）
15 費《つい》（やし）
16 仏《ほとけ》
17 離《はな》（れて）
18 響《ひび》（き）
19 澄《す》（んで）
20 捕《つか》（まえる）

1「起源《きげん》」は物事の起こり。源。始まり。

5「飼育《しいく》」は動物などをかい、そだてること。

6「若干《じゃっかん》」はそう多くはない、いくらかの数量。

8「惑星《わくせい》」は恒星の周囲を回る比較的大きな天体のこと。

10「雷雨《らいう》」は雷を伴《ともな》って降る激しい雨。

12「平凡《へいぼん》」はとくにすぐれたところや目立つ特色もなく、ありふれていること。

16「仏《ほとけ》の顔《かお》も三度《さんど》」はいくら温厚な人であっても、何度も不快なことをされれば怒るということ。

(一) 読み

グレーの部分は解答の補足です

各1点 計30点

1 ていこう
2 ゆうしゅう
3 れんぽう
4 たんすい
5 さんぱつ
6 ちんじ
7 すうてき
8 いちまん
9 ちんせい
10 ていぼう
11 たんねん
12 はちじょう
13 だんがん
14 しょうぞく
15 だつじ
16 えんぎ
17 たんがん
18 そくせき
19 こうれい
20 びちく
21 つぶ
22 みな
23 とまど(う)
24 こよみ
25 ほが(らか)
26 なご(やか)
27 たの(もしい)
28 あし
29 うで
30 かみふぶき

8「壱《いち》」は一と同じだが、二や三などに書き換《か》えられることを防ぐため、領収書などで使うことがある。

24「暦《こよみ》」は時の流れを年、月、週、日の単位で区切り、体系化したもの。カレンダー。

(二) 同音・同訓異字

解答の下は選択肢《たくし》の漢字を含む熟語です

各2点 計30点

1 エ 原稿《げんこう》
2 オ 香水《こうすい》
3 ア 親孝行《おやこうこう》
4 ア 拍手《はくしゅ》
5 イ 宿泊《しゅくはく》
6 エ 迫真《はくしん》
7 オ 戒律《かいりつ》
8 イ 半壊《はんかい》
9 エ 快適《かいてき》
10 ウ 歳末《さいまつ》
11 ア 救済《きゅうさい》
12 オ 色彩《しきさい》
13 イ 草刈《くさか》り
14 エ 借《か》りる
15 オ 貸《か》す

6「迫真《はくしん》」は実際の姿に迫っていること。
7「戒律《かいりつ》」は守らなければならない規律。
10「歳末《さいまつ》」は年の暮れ。年の末。年末。
11「救済《きゅうさい》」は苦しんでいる人を助けること。

(三) 漢字識別

太字部分は共通する漢字です

各2点 計10点

1 キ 制**御**《せいぎょ》・**御**中《おんちゅう》・**御**来光《ごらいこう》
2 コ **仰**天《ぎょうてん》・信**仰**《しんこう》・**仰**角《ぎょうかく》
3 ア **趣**向《しゅこう》・**趣**意《しゅい》・野**趣**《やしゅ》
4 エ **漫**遊《まんゆう》・散**漫**《さんまん》・**漫**画《まんが》
5 ケ 証**拠**《しょうこ》・**拠**点《きょてん》・根**拠**《こんきょ》

(四) 熟語の構成

各2点 計20点

1 ウ
2 ア
3 ウ
4 エ
5 イ
6 ウ
7 エ
8 オ
9 ア
10 イ

握力《あくりょく》 握(る)↓力
鋭敏《えいびん》 どちらも「かしこい」の意。
霧笛《むてき》 霧(が濃いときに鳴らす)↓笛(音響信号)
違約《いやく》 違(反する)↑約(束に)
陰陽《いんよう》 陰(かげ)↕陽(ひなた)
劣勢《れっせい》 劣(った)↓勢(い)
越冬《えっとう》 越(す)↑冬(を)
無尽《むじん》 無(否定)+尽(きる)。「尽きない」。
維持《いじ》 どちらも「持つ」の意。
往来《おうらい》 往(行く)↕来(る)

問題は本冊 P28~33

（五）部首

各1点 計10点

グレーの部分は部首の名前です

1 ウ 丶（てん）
2 ア ⺾（くさかんむり）
3 ア 日（ひらび いわく）
4 イ 木（き）
5 エ 冂（どうがまえ けいがまえ まきがまえ）
6 ウ 干（かん いちじゅう）
7 ウ 立（たつへん）
8 イ 口（くち）
9 ウ 彳（ぎょうにんべん）
10 ア 至（いたる）

（六）対義語・類義語

各2点 計20点

グレーの部分は解答の補足です

1 至難《しなん》⇔容易《ようい》
2 減退《げんたい》⇔増進《ぞうしん》
3 半減《はんげん》⇔倍加《ばいか》
4 苦言《くげん》⇔甘言《かんげん》
5 記憶《きおく》⇔忘却《ぼうきゃく》
6 不意《ふい》＝唐突《とうとつ》
7 退職《たいしょく》＝辞任《じにん》
8 前途《ぜんと》＝将来《しょうらい》
9 内包《ないほう》＝含有《がんゆう》
10 祭事《さいじ》＝儀式《ぎしき》

（七）漢字と送りがな

各2点 計10点

1 費《つい》やし
2 伺《うかが》う
3 朽《く》ちる
4 危《あや》うく
5 驚《おどろ》き

（八）四字熟語

各2点 計20点

グレーの部分は解答の補足です

1 一病《いちびょう》（息《そく》）災《さい》
2 行《こう》（雲《うん》）流水《りゅうすい》
3 （温《おん》）故知新《こちしん》
4 驚天《きょうてん》（動《どう》）地《ち》
5 喜色《きしょく》（満《まん》）面《めん》
6 公明《こうめい》（正《せい》）大《だい》
7 言《げん》（行《こう》）一致《いっち》
8 同《どう》（床《しょう》）異夢《いむ》
9 夜《や》（郎《ろう》）自大《じだい》
10 （威《い》）風堂堂《ふうどうどう》

多少の軽い病を持っていたほうが長生きするということ。
物事に執着しないで自由な気持ちでいる様子。
前に学んだことや古いことを研究し、現代のことを知ること。
世間をひどく驚かすこと。
喜びの表情が、顔いっぱいに現れている様子。
心が公平でかたよらず、私心がなく正しい意。
言っていることと、行っていることが一致していること。
状況や行動を共にしていても、目標や考え方が異なっているさま。
世間知らずが、いばっている。身のほど知らず。
大いに威厳があり、立派であるさま。

（九）誤字訂《てい》正

各2点 計10点

グレーの部分は誤字・正字を含む熟語です

	〔誤〕		〔正〕
1	素財	→	素材
2	存属	→	存続
3	傾行	→	傾向
4	細小限	→	最小限
5	指し	→	差し

（十）書き取り

各2点 計40点

グレーの部分は解答の補足です

1 縮小《しゅくしょう》
2 警護《けいご》
3 純真《じゅんしん》
4 獣医《じゅうい》
5 店舗《てんぽ》
6 歓迎《かんげい》
7 詳細《しょうさい》
8 摘発《てきはつ》
9 空欄《くうらん》
10 内需《ないじゅ》
11 独占《どくせん》
12 範囲《はんい》
13 勤《つと》（めて）
14 疲《つか》（れた）
15 雷《かみなり》
16 痛《いた》（い）
17 訳《わけ》
18 二《に》匹《ひき》
19 補《おぎな》（う）
20 腰《こし》

1「縮少」と書き間違えやすいので注意すること。
2「警護《けいご》」は事故を防ぐため、人や物を警戒して守ること。
3「純真《じゅんしん》」は心にけがれがないこと。清らかで邪心《じゃしん》がないこと。
5「店舗《てんぽ》」は商品を並べて販売する建物。みせ。
7「詳細《しょうさい》」は詳しく細かいこと。
8「摘発《てきはつ》」は悪事や隠されていることを暴《あば》いて、世間に発表すること。
10「内需《ないじゅ》」は国内の需要のこと。

問題は本冊 P34~39

(一) 読み

各1点 計30点

グレーの部分は解答の補足です

1 どうい
2 ぼんち
3 どき
4 といき
5 いっつい
6 かもん
7 さっとう
8 ようと
9 かんたく
10 てんかぶつ
11 はっくつ
12 とうは
13 しゅせんど
14 ていちょう
15 すいとう
16 かんせいとう
17 こうてん
18 びょうしょう
19 ひつじゅひん
20 とべい
21 いも
22 あつか(い)
23 にぎ(る)
24 えら(い)
25 ころも
26 は(えて)
27 するど(い)
28 かく(す)
29 なまりいろ
30 さつき

4「吐息《といき》」はここでは安心して吐くため息。
5「一対《いっつい》」は二つでひと組となるもの。
6「家紋《かもん》」は家系や出自を表す日本独自の紋章。
12「踏破《とうは》」は歩き通す。
13「守銭奴《しゅせんど》」はけちな金持ち。

(二) 同音・同訓異字

各2点 計30点

解答の下は選択肢《たくし》の漢字を含む熟語です

1 イ 勧告《かんこく》
2 エ 看護師《かんごし》
3 ウ 歓迎《かんげい》
4 オ 慎重《しんちょう》
5 イ 侵入《しんにゅう》
6 ウ 指針《ししん》
7 ア 疑問《ぎもん》
8 エ 流儀《りゅうぎ》
9 イ 遊戯《ゆうぎ》
10 オ 老朽《ろうきゅう》
11 ア 吸入《きゅうにゅう》
12 エ 砂丘《さきゅう》
13 イ 着《つ》いた
14 オ 詰《つ》まって
15 エ 尽《つ》きた

1「勧告《かんこく》」は一定の事柄について、相手方に一定の行動をとるようにすすめ促《うなが》すこと。
4「慎重《しんちょう》」は注意深く、軽々しく行動しないこと。
6「指針《ししん》」は時計や計器類の針。物事を進めるうえで、進むべき方向を示す方針。
8「流儀《りゅうぎ》」は物事のやり方。芸能などで、その流派や家に伝わる手法。
10「老朽《ろうきゅう》」は古くなって役に立たなくなること。

(三) 漢字識別

各2点 計10点

太字部分は共通する漢字です

1 エ 中**継**《ちゅうけい》・**継**承《けいしょう》・後**継**者《こうけいしゃ》
2 コ **堅**実《けんじつ》・**堅**気《かたぎ》・中**堅**《ちゅうけん》
3 オ 真**紅**《しんく》・**紅**葉《こうよう》・口**紅**《くちべに》
4 ク 復**興**《ふっこう》・**興**行《こうぎょう》・**興**味《きょうみ》
5 ア **更**新《こうしん》・今**更**《いまさら》・変**更**《へんこう》

(四) 熟語の構成

各2点 計20点

1 ア
2 ウ
3 ウ
4 エ
5 エ
6 エ
7 ア
8 ア
9 イ
10 オ

獲得《かくとく》 どちらも「手に入れる」の意。
雄弁《ゆうべん》 雄(力強く)↓弁(話す)
隣国《りんごく》 隣(の)↓国
汚職《おしょく》 汚(けがす)↑職(を)
拍手《はくしゅ》 拍(たたく)↑手(を)
観劇《かんげき》 観(る)↑劇(を)
計測《けいそく》 どちらも「はかる」の意。
平凡《へいぼん》 どちらも「ふつう」の意。
寒暖《かんだん》 寒(い)⇕暖(かい)
無我《むが》 無(否定)+我。「無心であること」。

（五） 部首

グレーの部分は部首の名前です

各1点 計10点

1 ア 山（やまへん）
2 ア イ（にんべん）
3 エ 田（た）
4 イ 大（だい）
5 エ 皿（さら）
6 ウ 大（だい）
7 イ 門（もんがまえ）
8 ア 衣（ころも）
9 ウ 口（くち）
10 エ 殳（るまた ほこづくり）

（六） 対義語・類義語

グレーの部分は解答の補足です

各2点 計20点

1 軽薄《けいはく》⇔重厚《じゅうこう》
2 航行《こうこう》⇔停泊《ていはく》
3 任命《にんめい》⇔解任《かいにん》
4 落第《らくだい》⇔及第《きゅうだい》
5 巨大《きょだい》⇔微小《びしょう》
6 思案《しあん》＝考慮《こうりょ》
7 綿密《めんみつ》＝委細《いさい》
8 手本《てほん》＝模範《もはん》
9 台本《だいほん》＝脚本《きゃくほん》
10 悲鳴《ひめい》＝絶叫《ぜっきょう》

（七） 漢字と送りがな

各2点 計10点

1 忙《いそが》しい
2 訴《うった》える
3 兼《か》ねる
4 遣《つか》わす
5 甘《あま》やかさ

（八） 四字熟語

グレーの部分は解答の補足です

各2点 計20点

1 花《か》（鳥《ちょう》）風月《ふうげつ》
2 骨肉《こつにく》（相《そう》）食《しょく》
3 金《きん》（城《じょう》）湯池《とうち》
4 （暗《あん》）中飛躍《ちゅうひやく》
5 一念発《いちねんほっ》（起《き》）
6 （真《しん》）剣勝負《けんしょうぶ》
7 意《い》（志《し》）薄弱《はくじゃく》
8 有《う》（為《い》）転変《てんぺん》
9 雲散《うんさん》（霧《む》）消《しょう》
10 危機《きき》一《いっ》（髪《ぱつ》）

自然の美しい風物のこと。また、美しい自然を観賞する風雅な心のこと。
肉親同士が争うこと。「骨肉」は親子兄弟の血族。「骨肉、相食《あいは》む」とも読む。
守りが堅くて簡単には攻略できない城。また、そのような備え。
世間に知られないようにひそかに裏に回り策を練ること。
それまでとは心を入れ替えて、何かを成し遂げようと決意すること。
本物の剣を使って勝負を決すること。また、本気で何かをすること。
あることを成し遂《と》げようとする気持ちが弱い様子。
この世のものは全て変わっていくということ。
雲や霧が消えうせるように、物事が跡形もなく消えてなくなること。
もう少しで、危険な状態になるところであること。

（九） 誤字訂正《てい》

グレーの部分は誤字・正字を含む熟語です

各2点 計10点

〔誤〕 〔正〕
1 資練 → 試練
2 授領書 → 受領書
3 主記 → 手記
4 指線 → 視線
5 収めた → 修めた

（十） 書き取り

グレーの部分は解答の補足です

各2点 計40点

1 規制《きせい》
2 推計《すいけい》
3 寸法《すんぽう》
4 仁術《じんじゅつ》
5 記憶《きおく》
6 休暇《きゅうか》
7 悲惨《ひさん》
8 戒律《かいりつ》
9 冬眠《とうみん》
10 腕章《わんしょう》
11 盛況《せいきょう》
12 根拠《こんきょ》
13 童《わらべ》
14 沢登《さわのぼ》（り）
15 要《い》（る）
16 和《なご》（やか）
17 余《あま》（す）
18 朗《ほが》（らか）
19 乾《かわ》（かす）
20 芝生《しばふ》

1「規制《きせい》」は決まり事。規則《きそく》によって物事を制限すること。
2「推計《すいけい》」は推しはかって計算する。
3「寸法《すんぽう》」は物の長さ。基準となる長さ。
4「仁術《じんじゅつ》」は情けある行い。
7「悲惨《ひさん》」は見ていられないほど痛ましいこと。
8「戒律《かいりつ》」は宗教上守らなければならない規律・規則。
10「腕章《わんしょう》」は衣服の腕に巻きつけるなどした記章やしるし。
11「盛況《せいきょう》」は会合などが盛んなありさま。
13「童歌《わらべうた》」は昔から子どもに歌いつがれてきた歌。

(一) 読み

グレーの部分は解答の補足です

各1点 計30点

1 すいはん
2 はいしゅつ
3 ばつぐん
4 どんつう
5 ていまい
6 のうど
7 どんてん
8 しはん
9 くはい
10 はんしゅつ
11 きょうけん
12 くのう
13 けいはく
14 したく
15 はくりょく
16 ひょうし
17 しゅひつ
18 こどう
19 でし
20 しょうさん
21 さ(いた)
22 しば
23 ふち
24 みな
25 ちまなこ
26 ひ(上《あ》がる)
27 おく
28 お(し)
29 いまし(める)
30 びより

1「垂範《すいはん》」は手本を示す。
2「輩出《はいしゅつ》」は優《すぐ》れた人物が次々に世に出ること。
9「苦杯《くはい》」は苦い経験。
10「搬出《はんしゅつ》」は運び出すこと。
26「干《ひ》上がる」は乾くこと。

(二) 同音・同訓異字

解答の下は選択肢《たくし》の漢字を含む熟語です

各2点 計30点

1 エ 本拠《ほんきょ》
2 オ 許可《きょか》
3 ア 距離《きょり》
4 イ 光陰《こういん》
5 ア 印象派《いんしょうは》
6 ウ 隠見《いんけん》
7 オ 経済《けいざい》
8 エ 恩恵《おんけい》
9 ア 傾斜《けいしゃ》
10 ウ 偉業《いぎょう》
11 イ 遺作《いさく》
12 オ 維持《いじ》
13 ウ 組《く》み
14 エ 暮《く》れる
15 イ 繰《く》り

1「本拠《ほんきょ》」は活動や根本のよりどころとなる場所。
4「光陰矢《こういんや》のごとし」は月日のたつのはあっという間で、二度と戻《もど》らないという意。
6「隠見《いんけん》」は隠れたり見えたりすること。
8「恩恵《おんけい》」は恵み、慈《いつく》しみ。
10「偉業《いぎょう》」は優《すぐ》れた仕事。偉大な事業。
11「遺作《いさく》」は死後に残された未発表の作品。

(三) 漢字識別

太字部分は共通する漢字です

各2点 計10点

1 ク **執**《しゅう》念《ねん》・固《こ》**執**《しつ》・**執**《しっ》刀医《とうい》
2 ウ 閉《へい》**鎖**《さ》・**鎖**《さ》骨《こつ》・連《れん》**鎖**《さ》
3 カ 土《ど》**砂**《しゃ》・**砂**《すな》場《ば》・**砂**《さ》金《きん》
4 コ 鑑《かん》**札**《さつ》・表《ひょう》**札**《さつ》・名《な》**札**《ふだ》
5 エ 樹《じゅ》**脂**《し》・**脂**《あぶら》汗《あせ》・油《ゆ》**脂**《し》

(四) 熟語の構成

各2点 計20点

1 エ
2 ウ
3 ア
4 イ
5 エ
6 イ
7 ア
8 オ
9 ウ
10 ウ

闘病《とうびょう》 闘(う)⬆病(気と)
環状《かんじょう》 環(輪のような)⬇状(態)
含有《がんゆう》 どちらも「持っている」の意。
及落《きゅうらく》 及(第)⬍落(第)
尽力《じんりょく》 尽(くす)⬆力(を)
去来《きょらい》 去(る)⬍来(る)
祈願《きがん》 どちらも「ねがう」の意。
非常《ひじょう》 非(否定)+常。「普通ではない状態」。
歓声《かんせい》 歓(よろこびの)⬇声
傍線《ぼうせん》 傍(そば、わきの)⬇線

問題は本冊 P40~45

（五）部首

各1点 計10点

グレーの部分は部首の名前です

1 エ ⺮（たけかんむり）
2 イ 穴（あなかんむり）
3 ウ 罒（あみがしら あみめ よこめ）
4 イ 日（ひ）
5 エ 夕（た ゆうべ）
6 ア 扌（てへん）
7 ア 一（いち）
8 エ 髟（かみがしら）
9 ア 艹（くさかんむり）
10 ウ 車（くるま）

（六）対義語・類義語

各2点 計20点

グレーの部分は解答の補足です

1 微弱《びじゃく》⇔強烈《きょうれつ》
2 普通《ふつう》⇔特別《とくべつ》
3 出生《しゅっしょう》⇔死亡《しぼう》
4 攻撃《こうげき》⇔防御《ぼうぎょ》
5 決定《けってい》⇔保留《ほりゅう》
6 栄進《えいしん》＝出世《しゅっせ》
7 使命《しめい》＝任務《にんむ》
8 繁栄《はんえい》＝盛況《せいきょう》
9 対等《たいとう》＝互角《ごかく》
10 道理《どうり》＝理屈《りくつ》

（七）漢字と送りがな

各2点 計10点

1 補《おぎな》う
2 勇《いさ》ましい
3 込《こ》める
4 刺《さ》さる
5 透《す》かし

（八）四字熟語

各2点 計20点

グレーの部分は解答の補足です

1 一陽来《いちようらい》（復《ふく》）
2 自《じ》（画《が》）自賛《じさん》
3 九牛一《きゅうぎゅうのいち》（毛《もう》）
4 公《こう》（序《じょ》）良俗《りょうぞく》
5 （厚《こう》）顔無恥《がんむち》
6 一触即《いっしょくそく》（発《はつ》）
7 （聖《せい》）人君子《じんくんし》
8 疑心暗《ぎしんあん》（鬼《き》）
9 旧態《きゅうたい》（依《い》）然《ぜん》
10 狂喜乱《きょうきらん》（舞《ぶ》）

悪いことや苦しい時期が過ぎて、幸運がやっと巡りくること。
自分で自分のことを褒《ほ》めること。
多数の中の極めて小さな部分のたとえ。
広く適切であると認められている公の秩序《ちつじょ》と好ましい習慣。
非常にずうずうしく恥を知らないさま。
危機に直面していること。
人徳に優《すぐ》れ、教養を身につけた理想的な人物。
疑い始めると、全てが疑わしくなってくるということ。
昔のままで進歩が全くないさま。
気が狂うほどに喜ぶこと。

（九）誤字訂正《てい》

各2点 計10点

グレーの部分は誤字・正字を含む熟語です

〔誤〕 〔正〕
1 所説 → 諸説
2 操従 → 操縦
3 対照 → 対象
4 障害 → 傷害
5 積めて → 詰めて

（十）書き取り

各2点 計40点

グレーの部分は解答の補足です

1 創意《そうい》
2 却下《きゃっか》
3 存在《そんざい》
4 宣告《せんこく》
5 段差《だんさ》
6 紹介《しょうかい》
7 趣味《しゅみ》
8 豪雨《ごうう》
9 記憶《きおく》
10 休暇《きゅうか》
11 握力《あくりょく》
12 騒動《そうどう》
13 衣《ころも》
14 茂《しげ》（み）
15 沼《ぬま》
16 編《あ》（む）
17 吹《ふ》（く）
18 絶《た》（える）
19 丈《たけ》
20 乾《かわ》（かす）

1「創意《そうい》」は新しい工夫《くふう》。
4「宣告《せんこく》」は告げて知らせること。裁判で判決を言い渡すこと。
10「休暇《きゅうか》」は会社や学校などで認められた、本来の休日以外の休み。
15「沼地《ぬまち》」は泥《どろ》が深く、じめじめした土地。
19「身の丈《たけ》に合う」は物事に対し、無理をせずに自分の力に合った対応をすること。

(一) 読み

各1点 計30点

グレーの部分は解答の補足です

1 びどう
2 きょうふ
3 もくどく
4 きよ
5 なっとく
6 しょうじん
7 ふつう
8 とうとつ
9 きびん
10 びょうしゃ
11 ひがんばな
12 はんざつ
13 ごび
14 ほっきにん
15 かいひ
16 ぜんぱん
17 ひかく
18 ひがい
19 げんまい
20 しんとう
21 く(ち)
22 いく(ら)
23 すす(めた)
24 ぬま
25 きわ(まり)
26 うつわ
27 つ(まって)
28 おか
29 およ(ばない)
30 しない

1「微動《びどう》だにせず」はほんの少しも動かない。
6「精進《しょうじん》あげ」は野菜の揚《あ》げ物。「精進」は肉を食べるのをやめて菜食にすること。
15「回避《かいひ》」は避ける、逃れる。
17「比較《ひかく》」は比べ合わせること。

(二) 同音・同訓異字

各2点 計30点

解答の下は選択肢《たくし》の漢字を含む熟語です

1 オ 圏内《けんない》
2 ア 検出《けんしゅつ》
3 エ 二軒《にけん》
4 ア 枯死《こし》
5 オ 太鼓《たいこ》
6 エ 誇示《こじ》
7 ウ 乾燥《かんそう》
8 エ 僧《そう》
9 イ 装具《そうぐ》
10 エ 専攻《せんこう》
11 ウ 荒野《こうや》
12 イ 年功《ねんこう》
13 オ 浮《う》かべる
14 イ 受《う》けた
15 エ 撃《う》たれた

2「検出《けんしゅつ》」は検査して僅《わず》かな成分を見つけ出すこと。
4「枯死《こし》」は草や木が枯れ果てること。
5「太鼓《たいこ》」は打楽器の一種。
6「誇示《こじ》」は誇らしげに示し、見せること。
9「装具《そうぐ》」は武装するときに身につける器具。
10「専攻《せんこう》」は一つのことを専門に研究すること。
12「年功序列《ねんこうじょれつ》」は年齢や勤続年数などが増すに従って、地位や賃金が上がること。

(三) 漢字識別

各2点 計10点

太字部分は共通する漢字です

1 キ **獣**道《けものみち》・**獣**医《じゅうい》・野**獣**《やじゅう》
2 オ **影**響《えいきょう》・投**影**《とうえい》・**影**法師《かげほうし》
3 ク **守**衛《しゅえい》・留**守**《るす》・子**守**《こもり》
4 ア 近**似**《きんじ》・**似**顔《にがお》・類**似**《るいじ》
5 ウ 寝**床**《ねどこ》・**床**下《ゆかした》・起**床**《きしょう》

(四) 熟語の構成

各2点 計20点

1 ウ
2 エ
3 イ
4 ア
5 ア
6 ウ
7 イ
8 ア
9 エ
10 オ

珍客《ちんきゃく》 珍(しい)➡客
臨場《りんじょう》 臨(む)⬆場(に)
苦楽《くらく》 苦(しみ)⬍楽(しみ)
巨万《きょまん》 どちらも「数や量が多い」の意。
屈折《くっせつ》 どちらも「折れ曲がる」の意。
吹奏《すいそう》 吹(いて)➡奏(でる)
細大《さいだい》 細(かい)⬍大(きい)
強豪《きょうごう》 どちらも「つよい」の意。
拡幅《かくふく》 拡(広げる)⬆幅(を)
未決《みけつ》 未(否定)+決(まる)。「まだ決まっていない」。

問題は本冊P46~51

（五）部首

グレーの部分は部首の名前です

各1点 計10点

1 エ 舛（まいあし）
2 ア 匚（かくしがまえ）
3 イ 辶（しんにょう しんにゅう）
4 ア 肉（にく）
5 ウ 彳（ぎょうにんべん）
6 イ 辛（からい）
7 エ 耂（おいかんむり おいがしら）
8 ウ 攵（のぶん ぼくづくり）
9 エ 疒（やまいだれ）
10 ア 皿（さら）

（六）対義語・類義語

グレーの部分は解答の補足です

各2点 計20点

1 冒頭《ぼうとう》⇔末尾《まつび》
2 単純《たんじゅん》⇔複雑《ふくざつ》
3 罪過《ざいか》⇔善行《ぜんこう》
4 専業《せんぎょう》⇔兼任《けんにん》
5 開放《かいほう》⇔閉鎖《へいさ》
6 慢心《まんしん》＝増長《ぞうちょう》
7 近隣《きんりん》＝周辺《しゅうへん》
8 傍観《ぼうかん》＝座視《ざし》
9 賛美《さんび》＝傾倒《けいとう》
10 様子《ようす》＝状況《じょうきょう》

（七）漢字と送りがな

各2点 計10点

1 任《まか》せ
2 浴《あ》びせる
3 寂《さび》れる
4 快《こころよ》く
5 畳《たた》み

（八）四字熟語

グレーの部分は解答の補足です

各2点 計20点

1 一《いっ》（件《けん》）落着《らくちゃく》
2 起死《きし》（回《かい》）生《せい》
3 （針《しん》）小棒大《しょうぼうだい》
4 （音《おん》）吐朗朗《とろうろう》
5 極楽往《ごくらくおう》（生《じょう》）
6 思慮《しりょ》（分《ふん》）別《べつ》
7 自給自《じきゅうじ》（足《そく》）
8 （驚《きょう》）天動地《てんどうち》
9 厚顔無《こうがんむ》（恥《ち》）
10 多事多《たじた》（端《たん》）

一つの事柄が解決すること。

悪くなったものを元《もと》に戻したり、絶望的な状態を再び盛んにすること。

ちょっとしたことを大げさに言うこと。

声などが豊かで爽《さわ》やかなこと。

この世を去ってのち、極楽浄《じょう》土に生まれ変わること。

注意深く考えて判断し、物事の道理をわきまえていること。

自分に必要なものを全て、自分が生産することで賄《まかな》うこと。

世間をひどく驚かすこと。

非常にずうずうしく恥を知らないさま。

仕事が多くて忙しいこと。

（九）誤字訂《てい》正

グレーの部分は誤字・正字を含む熟語です

各2点 計10点

〔誤〕 〔正〕
1 深念 → 信念
2 聖意 → 誠意
3 展職 → 転職
4 新路 → 進路
5 乗って → 載って

（十）書き取り

グレーの部分は解答の補足です

各2点 計40点

1 同姓《どうせい》
2 盆《ぼん》
3 演劇《えんげき》
4 負担《ふたん》
5 忠告《ちゅうこく》
6 闘牛《とうぎゅう》
7 非凡《ひぼん》
8 矛盾《むじゅん》
9 偉業《いぎょう》
10 是正《ぜせい》
11 縁側《えんがわ》
12 我《が》
13 干《ほ》（す）
14 汗《あせ》
15 幹《みき》
16 授《さず》（かった）
17 峰《みね》
18 稲《いね》
19 甘《あま》（い）
20 叫《さけ》（ぶ）

2「盆《ぼん》」は先祖の霊にいろいろな食べ物などを供えて供養する仏教に根ざした行事。また、物を載せるための平たい道具。

4「負担《ふたん》」は仕事などの責任や義務を引き受けること。

5「忠告《ちゅうこく》」は誠意をこめて相手に過ちなどを諭《さと》すこと。

6「闘牛《とうぎゅう》」は闘牛士と呼ばれる人と牛が戦う競技のこと。また、牛と牛の角を突き合わせて戦わせる競技のこと。

7「非凡《ひぼん》」は普通より優《すぐ》れていること。

10「是正《ぜせい》」は誤っている点や不都合な点を改めて正すこと。

13「乾《ほ》す」は常用漢字表にない読みなので×。

17「峰《みね》」は山の頂上。高くなっている場所。

(一) 読み

各1点 計30点

グレーの部分は解答の補足です

1 へきが
2 きおく
3 ほうか
4 ぼうてん
5 びおん
6 ずかん
7 しょじゅん
8 まんだん
9 ふんすい
10 ねぼう
11 かんしょく
12 おんたく
13 しんこう
14 ひんそう
15 ほしゅ
16 しゅほう
17 えんせい
18 かくふく
19 こぶ
20 かいほう
21 くる(い)
22 ぞうに
23 めぐ(まれた)
24 じひび(き)
25 と(いで)
26 すこ(やか)
27 かたむ(いた)
28 く(る)
29 か(られて)
30 なごり

3「砲火《ほうか》」は大砲の火。
5「鼻音《びおん》」は息を鼻に通して出す音。
12「恩沢《おんたく》」は人や物事に幸福や恵みをもたらすこと。
18「拡幅《かくふく》」は、幅を広げること。

(二) 同音・同訓異字

各2点 計30点

解答の下は選択肢《たくし》の漢字を含む熟語です

1 イ 皇后《こうごう》
2 ア 豪雨《ごうう》
3 オ 水郷《すいごう》
4 ウ 考査《こうさ》
5 ア 砂丘《さきゅう》
6 イ 閉鎖《へいさ》
7 オ 洗練《せんれん》
8 エ 独占《どくせん》
9 ア 新鮮《しんせん》
10 ウ 有刺《ゆうし》
11 ア 紫外線《しがいせん》
12 エ 樹脂《じゅし》
13 オ 採《と》った
14 イ 執《と》っている
15 ウ 捕《と》らえた

3「水郷《すいごう》」は水辺の景色のいい町や村のこと。「すいきょう」とも読む。
4「考査《こうさ》」は調べて考えること。
7「洗練《せんれん》」は文章や人格などを磨《みが》き上げること。
10「有刺鉄線《ゆうしてっせん》」はとげを巻きつけた二本の針金をより合わせたもの。
13・14・15「採用《さいよう》・執務《しつむ》・捕獲《ほかく》」など、二字熟語にするとわかりやすい。

(三) 漢字識別

各2点 計10点

太字部分は共通する漢字です

1 コ 背**丈**《せたけ》・気**丈**《きじょう》・大**丈**夫《だいじょうぶ》
2 キ 事**項**《じこう》・**項**目《こうもく》・別**項**《べっこう》
3 ケ **傷**口《きずぐち》・重**傷**《じゅうしょう》・中**傷**《ちゅうしょう》
4 オ **笑**顔《えがお》・談**笑**《だんしょう》・冷**笑**《れいしょう》
5 イ 重**畳**《ちょうじょう》・**畳**語《じょうご》・石**畳**《いしだたみ》

(四) 熟語の構成

各2点 計20点

1 ウ
2 ア
3 エ
4 ウ
5 イ
6 ア
7 オ
8 ウ
9 エ
10 イ

文豪《ぶんごう》 文(文学の)↓豪(大家《たいか》)
堅固《けんご》 どちらも「かたい」の意。
就任《しゅうにん》 就(く)↑任(ある職務などに)
健脚《けんきゃく》 健(康な)↓脚
送迎《そうげい》 送(る)⇕迎(える)
更改《こうかい》 どちらも「新しくなる」の意。
未熟《みじゅく》 未(否定)+熟(す)。「まだ熟していない」。
愛称《あいしょう》 愛(を込めてよぶ)↓称(呼び名)。ニックネーム。
抜糸《ばっし》 抜(く)↑糸(手術で縫合《ほうごう》に使った糸を)
攻守《こうしゅ》 攻(める)⇕守(る)

問題は本冊 P52~57

(五) 部首

グレーの部分は部首の名前です

各1点 計10点

1 ウ 忄（りっしんべん）
2 ア 舌（した）
3 エ 目（め）
4 イ 皿（さら）
5 ウ 日（ひ）
6 ウ 夕（た ゆうべ）
7 エ 几（つくえ）
8 ア 土（つち）
9 イ 巾（はばへん きんべん）
10 ア 鼻（はな）

(六) 対義語・類義語

グレーの部分は解答の補足です

各2点 計20点

1 自白《じはく》⇔黙秘《もくひ》
2 豊作《ほうさく》⇔凶作《きょうさく》
3 安楽《あんらく》⇔苦痛《くつう》
4 接近《せっきん》⇔離脱《りだつ》
5 相違《そうい》⇔一致《いっち》
6 名誉《めいよ》＝栄光《えいこう》
7 麗句《れいく》＝美辞《びじ》
8 発覚《はっかく》＝露見《ろけん》
9 永遠《えいえん》＝恒久《こうきゅう》
10 支度《したく》＝準備《じゅんび》

(七) 漢字と送りがな

各2点 計10点

1 易《やさ》しい
2 囲《かこ》む
3 倒《たお》れる
4 慎《つつし》み
5 震《ふる》える

(八) 四字熟語

グレーの部分は解答の補足です

各2点 計20点

1 一心不《いっしんふ》（乱《らん》）
2 大《たい》（山《ざん》）鳴動《めいどう》
3 直情《ちょくじょう》（径《けい》）行《こう》
4 異《い》（口《く》）同音《どうおん》
5 人跡《じんせき》（未《み》）踏《とう》
6 昼夜兼《ちゅうやけん》（行《こう》）
7 （当《とう》）意即妙《いそくみょう》
8 君子三《くんしのさん》（戒《かい》）
9 群雄割《ぐんゆうかっ》（拠《きょ》）
10 好機《こうき》（到《とう》）来《らい》

一つのことに心を注いで、他のことのために乱れないこと。

大きな山が鳴り動くほどの騒動のわりには結果が小さいこと。

周りを考えずに、自分の感情のままに行動すること。

多くの人が口をそろえて同じことを言うこと。多くの人の説が一致すること。

人が一度も足を踏み入れたことがないこと。

昼夜の区別なく仕事を続けること。

その場の状況に合わせて機転をきかせ、素早く対応すること。

少年期の女色、壮《そう》年期の争い、老年期の物欲のこと。

たくさんの英雄たちが、それぞれに勢力を張って権力を争うさま。

またとないよい機会が巡ってくること。絶好の機会に恵まれること。

(九) 誤字訂正《ていせい》

グレーの部分は誤字・正字を含む熟語です

各2点 計10点

〔誤〕 〔正〕
1 内臓 → 内蔵
2 独想 → 独創
3 相族 → 相続
4 尊亡 → 存亡
5 通状 → 通常

(十) 書き取り

グレーの部分は解答の補足です

各2点 計40点

1 敬具《けいぐ》
2 罰《ばつ》
3 糖分《とうぶん》
4 敵地《てきち》
5 障子《しょうじ》
6 穀類《こくるい》
7 工程《こうてい》
8 塔《とう》
9 濁流《だくりゅう》
10 丹念《たんねん》
11 隣人《りんじん》
12 緯度《いど》
13 筋《すじ》
14 競《きそ》（い）
15 幸《さち》
16 咲《さ》（いた）
17 驚《おどろ》（く）
18 珍《めずら》（しい）
19 跡地《あとち》
20 偉《えら》（い）

1「敬具《けいぐ》」は手紙などの末尾に用いることば。「拝啓《はいけい》」と対応する。

5「障子《しょうじ》」は和風建築で室内の仕切りや外気を防ぐために用いる建具の総称。

7「工程《こうてい》」は進行ぐあい。

9「濁流《だくりゅう》」は濁った水の激しい流れ。川などが増水して濁った流れ。

10「丹念《たんねん》」は真心をこめ、念を入れて行うこと。

12「緯度《いど》」は赤道を0度とし、南北それぞれ90度で表した地球上の位置を示す座標のこと。

19「跡地《あとち》」は建物などを取り壊したあとの土地。

(一) 読み

各1点 計30点

グレーの部分は解答の補足です

1 もうい
2 むじゅん
3 かんじゅ
4 ようきょく
5 ぼうしつ
6 きょうしゅく
7 らいめい
8 かみん
9 かもん
10 じょうほうもう
11 じゅんれい
12 ぶよう
13 のうこう
14 しょもう
15 やくしん
16 みょう
17 はんも
18 ちめいしょう
19 ばくろ
20 ゆうし
21 か(れて)
22 たが(い)
23 せ(める)
24 つか(う)
25 おのれ
26 ゆえ
27 ほこ(らか)
28 う(った)
29 むか(え)
30 やまと

4「謡曲《ようきょく》」は能の詞章(脚本)のこと。また、それに節をつけて歌うこと。
14「所望《しょもう》」は欲しいと望むこと。
20「雄姿《ゆうし》」は立派な姿。
26「故《ゆえ》」はわけ、事情。

(二) 同音・同訓異字

各2点 計30点

解答の下は選択肢《たくし》の漢字を含む熟語です

1 オ 宗教《しゅうきょう》
2 ア 来襲《らいしゅう》
3 エ 拾得物《しゅうとくぶつ》
4 イ 色鉛筆《いろえんぴつ》
5 エ 救援《きゅうえん》
6 ア 縁日《えんにち》
7 イ 縦横《じゅうおう》
8 エ 柔道《じゅうどう》
9 ウ 野獣《やじゅう》
10 ウ 転倒《てんとう》
11 エ 透明《とうめい》
12 イ 五重塔《ごじゅうのとう》
13 オ 駆《か》けこむ
14 ア 欠《か》ける
15 エ 狩《か》り

2「来襲《らいしゅう》」は襲ってくること。攻めてくること。
5「救援《きゅうえん》」は困難に直面している人を助けること。
6「縁日《えんにち》」は神仏に縁のある日。仏教に由来がある日。
12「五重塔《ごじゅうのとう》」は仏塔の一つで、内部に仏舎利《ぶっしゃり》をたてまつる役割をしていた。

(三) 漢字識別

各2点 計10点

太字部分は共通する漢字です

1 ケ 足**跡**《そくせき》・形**跡**《けいせき》・**跡**目《あとめ》
2 エ **扇**形《おうぎがた》・**扇**子《せんす》・**扇**状地《せんじょうち》
3 ア **針**金《はりがね》・長**針**《ちょうしん》・**針**箱《はりばこ》
4 キ **星**座《せいざ》・明**星**《みょうじょう》・黒**星**《くろぼし》
5 オ 水**稲**《すいとう》・陸**稲**《りくとう》・**稲**妻《いなずま》

(四) 熟語の構成

各2点 計20点

1 エ
2 ウ
3 ア
4 ウ
5 イ
6 エ
7 ア
8 ウ
9 オ
10 イ

執務《しつむ》 執(り行う)↑務(事務を)
尾翼《びよく》 尾(飛行機などの後部にある)↓翼
積載《せきさい》 どちらも「のせる」の意。
香水《こうすい》 香(る)↓水(液体)
雌雄《しゆう》 雌(めす)↕雄(おす)
改心《かいしん》 改(める)↑心(を)
断裁《だんさい》 どちらも「たち切る」の意。
路傍《ろぼう》 路(みちの)↓傍(そば、近く)
未婚《みこん》 未(否定)+婚(結婚)。「まだ結婚していない」。
夫妻《ふさい》 夫↕妻

問題は本冊 P58~63

（五） 部首

各1点 計10点

グレーの部分は部首の名前です

1 エ 矛（ほこ）
2 ア 言（げん）
3 ウ 羊（ひつじ）
4 ウ 月（つき）
5 イ 土（つち）
6 ア 一（いち）
7 ウ 黒（くろ）
8 イ 隹（ふるとり）
9 ア 羽（はね）
10 ウ 雨（あめかんむり）

（六） 対義語・類義語

各2点 計20点

グレーの部分は解答の補足です

1 強制《きょうせい》⇔任《にん》意《い》
2 能書《のうしょ》⇔悪《あく》筆《ひつ》
3 在宅《ざいたく》⇔留《る》守《す》
4 屈服《くっぷく》⇔抵《てい》抗《こう》
5 出発《しゅっぱつ》⇔到着《とうちゃく》
6 黙認《もくにん》＝看過《かんか》
7 冒頭《ぼうとう》＝最《さい》初《しょ》
8 服従《ふくじゅう》＝隷属《れいぞく》
9 切除《せつじょ》＝摘出《てきしゅつ》
10 多量《たりょう》＝沢山《たくさん》

（七） 漢字と送りがな

各2点 計10点

1 確《たし》かめる
2 乾《かわ》かし
3 尋《たず》ね
4 鮮《あざ》やかな
5 濁《にご》る

（八） 四字熟語

各2点 計20点

グレーの部分は解答の補足です

1 出《しゅっ》（処《しょ》）進退《しんたい》
2 晴《せい》（耕《こう》）雨読《うどく》
3 完全《かんぜん》無《む》（欠《けつ》）
4 千紫《せんし》万《ばん》（紅《こう》）
5 一部《いちぶ》始《し》（終《じゅう》）
6 信賞《しんしょう》（必《ひつ》）罰《ばつ》
7 七《しち》（転《てん》）八倒《ばっとう》
8 粉《ふん》（飾《しょく》）決算《けっさん》
9 善《ぜん》（隣《りん》）友好《ゆうこう》
10 （兼《けん》）愛無《あいむ》私《し》

とどまるか否かの自分の身の振り方。
田園で、のんびりとゆうゆう自適の生活をすること。
欠けたところが全くなく、そろっている様子。
さまざまな花の色のこと。また、色とりどりの花が咲き乱れている様子。
物事の始めから終わりまでのいっさいのこと。
功績のあった者には賞を与え、罪を犯した者は必ず罰すること。
何度も転んだり倒れたりするほど、もがき苦しむこと。
会社の経営内容を実際よりもよく見せるために決算の数字をごまかすこと。
隣国や隣家などに友情を持つこと。外交上、友好関係を結ぶこと。
自他の区別なく広く人を愛すること。

（九） 誤字訂正《てい》

各2点 計10点

グレーの部分は誤字・正字を含む熟語です

〔誤〕 〔正〕

1 短調 → 単調
2 団合 → 談合
3 日記張 → 日記帳
4 丁度品 → 調度品
5 撃つ → 打つ

（十） 書き取り

各2点 計40点

グレーの部分は解答の補足です

1 列挙《れっきょ》
2 昨晩《さくばん》
3 拝受《はいじゅ》
4 納品《のうひん》
5 認識《にんしき》
6 遠征《えんせい》
7 是非《ぜひ》
8 好奇心《こうきしん》
9 影響《えいきょう》
10 微熱《びねつ》
11 行儀《ぎょうぎ》
12 後輩《こうはい》
13 結《ゆ》（わえた）
14 経《へ》（て）
15 童《わらべ》
16 絹《きぬ》
17 触《さわ》（る）
18 趣《おもむき》
19 贈《おく》（り）
20 握《にぎ》（る）

1「列挙《れっきょ》」は並べあげること。一つ一つ数えあげること。
3「拝受《はいじゅ》」は目上の人から物を受け取ること。
4「納品《のうひん》」は品物を納めること。
5「認識《にんしき》」は物事を知り、その意義や本質を理解すること。
6「遠征《えんせい》」は試合や探検などのため、遠方に出かけること。
7「是非《ぜひ》」は正しいことと正しくないこと。
10「微熱《びねつ》」はその人の平熱よりも少し高い熱。
18「趣《おもむき》」はそのものが感じさせるしみじみとした味わい。全体から感じられる様子。

(一) 読み

各1点 計30点

グレーの部分は解答の補足です

1 つうれつ
2 しゅうれい
3 とうしょらん
4 ろうとう・ろうどう
5 らんおう
6 きんりん
7 れいじゅう
8 らくるい
9 れつあく
10 はいりょ
11 ばくふ
12 いっきょう
13 りさん
14 きょうり
15 ひれん
16 たんらく
17 ねんれい
18 しゅい
19 きよ
20 ごうわん
21 つつし(む)
22 そ(える)
23 こ(めて)
24 うかが(う)
25 すわ(り)
26 た(って)
27 と(った)
28 さしみ
29 めす
30 わこうど

2「秀麗《しゅうれい》」は優《すぐ》れて美しいこと。
4「郎党《ろうとう》」は従者や家来のこと。「一族郎党《いちぞくろうとう》」は家族や関係者の全て。
7「隷従《れいじゅう》」は手下となって従うこと。
16「短絡《たんらく》」はせっかちに物事を結びつけること。

(二) 同音・同訓異字

各2点 計30点

解答の下は選択肢《たくし》の漢字を含む熟語です

1 ウ 照合《しょうごう》
2 オ 詳細《しょうさい》
3 イ 紹介《しょうかい》
4 オ 浸水《しんすい》
5 ウ 不振《ふしん》
6 イ 就寝《しゅうしん》
7 エ 絶叫《ぜっきょう》
8 オ 凶器《きょうき》
9 イ 実況《じっきょう》
10 ウ 接触《せっしょく》
11 ア 服飾費《ふくしょくひ》
12 エ 養殖《ようしょく》
13 エ 就《つ》けた
14 オ 尽《つ》きない
15 ア 付《つ》き

1「照合《しょうごう》」は照らし合わせて確かめること。
6「就寝《しゅうしん》」は寝ること。眠りにつくこと。
7「絶叫《ぜっきょう》」はできる限りの声を出して叫ぶこと。
9「実況《じっきょう》」は現実のままの姿。実際に物事が行われているありのまま。
10「接触《せっしょく》」は近づいて触れること。交渉《しょう》すること。
12「養殖《ようしょく》」は食品などに利用するため生物を人工的に育てること。

(三) 漢字識別

各2点 計10点

太字部分は共通する漢字です

1 オ **淡**雪《あわゆき》・冷**淡**《れいたん》・**淡**水魚《たんすいぎょ》
2 ク **遅**配《ちはい》・**遅**番《おそばん》・**遅**刻《ちこく》
3 エ **舌**先《したさき》・弁**舌**《べんぜつ》・**舌**戦《ぜっせん》
4 コ 遠**浅**《とおあさ》・**浅**学《せんがく》・**浅**手《あさで》
5 イ 片**端**《かたはし》・**端**正《たんせい》・道**端**《みちばた》

(四) 熟語の構成

各2点 計20点

1 ウ
2 ウ
3 オ
4 ア
5 イ
6 ウ
7 エ
8 ア
9 イ
10 エ

暮春《ぼしゅん》 暮(終わりごろの)↓春
瞬時《しゅんじ》 瞬(またたく)↓時(間《ま》)
非運《ひうん》 非(否定)＋運。「運が悪いこと」。
傾斜《けいしゃ》 どちらも「ななめになる」の意。
取捨《しゅしゃ》 取(る)⇕捨(てる)
猛獣《もうじゅう》 猛(荒々しい)↓獣(肉食動物)
就寝《しゅうしん》 就(く)↑寝(眠りに)
静寂《せいじゃく》 どちらも「しずか」の意。
授受《じゅじゅ》 授(ける)⇕受(ける)
抜歯《ばっし》 抜(く)↑歯(を)

問題は本冊P64~69

（五） 部首

グレーの部分は部首の名前です

各1点 計10点

1 ア 心（こころ）
2 エ 阝（こざとへん）
3 ウ 隶（れいづくり）
4 イ 灬（れんが れっか）
5 イ 日（ひ）
6 エ 鹿（しか）
7 ア 疒（やまいだれ）
8 イ 力（ちから）
9 ウ 歯（はへん）
10 エ 心（こころ）

（六） 対義語・類義語

グレーの部分は解答の補足です

各2点 計20点

1 自立《じりつ》⇔依存《いそん》
2 集中《しゅうちゅう》⇔散漫《さんまん》
3 乱暴《らんぼう》⇔柔和《にゅうわ》
4 敏感《びんかん》⇔鈍感《どんかん》
5 冒頭《ぼうとう》⇔末尾《まつび》
6 陰口《かげぐち》＝中傷《ちゅうしょう》
7 旗色《はたいろ》＝形勢《けいせい》
8 納得《なっとく》＝合点《がってん》
9 貯金《ちょきん》＝蓄財《ちくざい》
10 土手《どて》＝堤防《ていぼう》

（七） 漢字と送りがな

各2点 計10点

1 疑《うたが》う
2 危《あぶ》ない
3 嘆《なげ》く
4 恥《は》じらう
5 沈《しず》める

（八） 四字熟語

グレーの部分は解答の補足です

各2点 計20点

1 二束三《にそくさん》（文《もん》）
2 （頭《ず》）寒足熱《かんそくねつ》
3 絶《ぜっ》（体《たい》）絶命《ぜつめい》
4 笑《しょう》（止《し》）千万《せんばん》
5 大義《たいぎ》（名《めい》）分《ぶん》
6 三寒四《さんかんし》（温《おん》）
7 新《しん》（進《しん》）気鋭《きえい》
8 光《こう》（彩《さい》）陸離《りくり》
9 公序良《こうじょりょう》（俗《ぞく》）
10 （歳《さい》）月不待《げつふたい》

品物の数は多いが、売値が非常に安いこと。「二束」は「二足」とも書く。
頭を冷やし、足を温かくすること。安眠・健康に良いといわれる。
せっぱ詰まって逃げ場のない状態。「絶対絶命」は×。
ばかばかしいほどおかしいこと。
行動の理由となる、はっきりした根拠。
冬、三日ほどの寒い日のあと四日ほど暖かい日が続く。これを繰り返すこと。
ある分野に新しく現れた、勢いがあり将来性も期待できる人物。
光が美しくきらめき、まばゆいばかりに輝くさま。
広く適切であると認められている公の秩《ちつ》序と好ましい習慣。
年月は人の都合を待ってはくれない。時を大切にして努力せよとの戒め。

（九） 誤字訂《てい》正

グレーの部分は誤字・正字を含む熟語です

各2点 計10点

【誤】→【正】

1 進転 → 進展
2 統論 → 討論
3 摘合 → 適合
4 特点 → 特典
5 親形 → 親方

（十） 書き取り

グレーの部分は解答の補足です

各2点 計40点

1 破片《はへん》
2 腹案《ふくあん》
3 到着《とうちゃく》
4 独善《どくぜん》
5 簡素《かんそ》
6 並列《へいれつ》
7 普段《ふだん》
8 童謡《どうよう》
9 爆発《ばくはつ》
10 寄贈《きぞう》
11 歓声《かんせい》
12 監修《かんしゅう》
13 （お）土産《みやげ》
14 背《そむ》（く）
15 紅《べに》
16 避《さ》（けて）
17 峠《とうげ》
18 織《お》（る）
19 拝《おが》（む）
20 舞《ま》（って）

1「破片《はへん》」は壊れたもののかけら。
2「腹案《ふくあん》」は前から考えている案。
4「独善《どくぜん》」は自分だけが正しいと考えること。ひとりよがり。
5「簡素《かんそ》」は飾り気がなく質素なこと。
6「並列《へいれつ》」は二つ以上のものが並ぶこと。並び連ねること。
10「寄贈《きぞう》」は品物をおくり与えること。
14「背《そむ》く」は逆らって従わない。違反する。

(一) 読み　各1点 計30点

グレーの部分は解答の補足です

1 ろこつ
2 えいり
3 いじ
4 りょうよう
5 うか
6 あくしゅ
7 げきたい
8 おうえん
9 いんえい
10 いよう
11 けいい
12 ゆうえつかん
13 いんきょ
14 ふくいん
15 えんう
16 いぜん
17 さいくつ
18 じんいてき
19 いっけんや
20 いげん
21 さび
22 なな(め)
23 の(せる)
24 やわ(らかい)
25 ひた(す)
26 ため(し)
27 たて
28 が(り)
29 に(え)
30 ゆくえ

1「露骨《ろこつ》」は感情や本心を隠さずにあからさまにすること。
10「偉容《いよう》」は立派な姿。
14「福音《ふくいん》」はうれしい知らせ。
15「煙雨《えんう》」は煙るように降る雨のこと。
21「寂《さび》」は低く趣のあること。

(二) 同音・同訓異字　各2点 計30点

解答の下は選択肢《たくし》の漢字を含む熟語です

1 ウ　耐熱《たいねつ》
2 オ　貸与《たいよ》
3 イ　代替品《だいたいひん》
4 ウ　盛大《せいだい》
5 オ　征服《せいふく》
6 エ　姓名《せいめい》
7 エ　象徴《しょうちょう》
8 イ　山頂《さんちょう》
9 ウ　跳馬《ちょうば》
10 オ　尽力《じんりょく》
11 ア　陣地《じんち》
12 イ　尋問《じんもん》
13 ウ　濃《こ》い
14 エ　込《こ》めて
15 ア　越《こ》える

1「耐熱《たいねつ》」は高熱に耐えること。また、熱に耐える性質。
2「貸与《たいよ》」は物品などを貸し与えること。
3「代替《だいが》(え)」は口語的表現。正しくはここにあるように「代替《だいたい》」。
7「象徴《しょうちょう》」はシンボル。
10「尽力《じんりょく》」はあることのために力を尽くすこと。
12「尋問《じんもん》」は問い正すこと。

(三) 漢字識別　各2点 計10点

太字部分は共通する漢字です

1 エ　**桃**色《ももいろ》・白**桃**《はくとう》・**桃**源郷《とうげんきょう》
2 キ　湯**殿**《ゆどの》・**殿**堂《でんどう》・**殿**様《とのさま》
3 ウ　**腕**章《わんしょう》・鉄**腕**《てつわん》・**腕**木《うでぎ》
4 コ　**仲**買《なかがい》・**仲**裁《ちゅうさい》・**仲**間《なかま》
5 イ　**唐**草《からくさ》・**唐**詩《とうし》・**唐**紙《からかみ》

(四) 熟語の構成　各2点 計20点

1 ウ
2 ア
3 イ
4 エ
5 イ
6 オ
7 ア
8 エ
9 ア
10 ウ

畳語《じょうご》　畳(単語を重ねた)↓語
舞踊《ぶよう》　どちらも「おどる」の意。
縦横《じゅうおう》　縦(たて)↕横(よこ)
整髪《せいはつ》　整(える)↑髪(を)
乗降《じょうこう》　乗(る)↕降(りる)
未明《みめい》　未(否定)+明(るい)。「まだ明るくない」。
詳細《しょうさい》　どちらも「こまかい」の意。
渡河《とか》　渡(る)↑河(を)
比較《ひかく》　どちらも「くらべる」の意。
寝台《しんだい》　寝(る)↓台

(五) 部首

グレーの部分は部首の名前です

各1点 計10点

1 エ 衣（ころも）
2 ア 女（おんな）
3 エ 阝（こざとへん）
4 ウ 走（そうにょう）
5 イ 彡（さんづくり）
6 ウ 一（いち）
7 ア 灬（れんが れっか）
8 ア 食（しょく）
9 イ 士（さむらい）
10 ア 艹（くさかんむり）

(六) 対義語・類義語

グレーの部分は解答の補足です

各2点 計20点

1 忘却《ぼうきゃく》⇔記《き》憶《おく》
2 建設《けんせつ》⇔破《は》壊《かい》
3 結合《けつごう》⇔分《ぶん》離《り》
4 直系《ちょっけい》⇔傍《ぼう》系《けい》
5 急性《きゅうせい》⇔慢《まん》性《せい》
6 価格《かかく》＝値《ね》段《だん》
7 介護《かいご》＝看《かん》護《ご》
8 上品《じょうひん》＝優《ゆう》美《び》
9 薄情《はくじょう》＝冷《れい》淡《たん》
10 最高《さいこう》＝抜《ばっ》群《ぐん》

(七) 漢字と送りがな

各2点 計10点

1 逆《さか》らっ
2 率《ひき》いる
3 快《こころよ》く
4 逃《のが》し
5 踏《ふ》まえ

(八) 四字熟語

グレーの部分は解答の補足です

各2点 計20点

1 （単《たん》）刀直入《とうちょくにゅう》
2 一日千《いちじつせん》（秋《しゅう》）
3 日常《にちじょう》（茶《さ》）飯《はん》
4 一挙《いっきょ》（両《りょう》）得《とく》
5 熟慮《じゅくりょ》（断《だん》）行《こう》
6 （門《もん》）外不出《がいふしゅつ》
7 品行《ひんこう》（方《ほう》）正《せい》
8 山《さん》（紫《し》）水明《すいめい》
9 色即《しきそく》（是《ぜ》）空《くう》
10 起《き》（承《しょう》）転結《てんけつ》

いきなり本題に入ること。すぐに問題の要点に入ること。「短刀直入」は×。

一日が千年のように長く感じられるほど、非常に待ち遠しいこと。

日常の食事（茶と飯）の意から、よくある出来事のこと。

一つのことをして、二つの利益を収めること。一石二鳥。

十分に考えたうえで思い切って行うこと。

非常に貴重な品物であるとして、外への持ち出しや貸し出しをしないこと。

行いがきちんとしていて正しいこと。

山が紫色にかすみ、川が澄み切っていること。自然の美しさをたたえる表現。

現世にある万物は全て実体がなく、「空（くう）」であるという仏教の教え。

文章の構成法や、物事の展開法のこと。

(九) 誤字訂正

グレーの部分は誤字・正字を含む熟語です

各2点 計10点

	【誤】		【正】
1	俳顔	→	拝顔
2	派及	→	波及
3	迫愛	→	博愛
4	反断	→	判断
5	家地	→	家路

(十) 書き取り

グレーの部分は解答の補足です

各2点 計40点

1 活躍《かつやく》
2 一切《いっさい》
3 握手《あくしゅ》
4 同盟《どうめい》
5 枚数《まいすう》
6 劣勢《れっせい》
7 指紋《しもん》
8 狂言《きょうげん》
9 帽子《ぼうし》
10 配慮《はいりょ》
11 信頼《しんらい》
12 珍味《ちんみ》
13 済《す》（む）
14 俵《だわら》
15 蚕《かいこ》
16 札《ふだ》
17 鬼《おに》
18 綿《わた》
19 暮《く》（れて）
20 黙《だま》（って）

1「活躍《かつやく》」はすばらしい働きをすること。大いに活動すること。

2「一切《いっさい》」は全て。全部。

4「同盟《どうめい》」は二つ以上の国が政治や経済などの盟約を行うこと。共通の目的を達成するため、同じ行動をとる約束をすること。

6「劣勢《れっせい》」は勢力が劣っていること。不利な状況のこと。

10「配慮《はいりょ》」は心を配ること。心づかい。

12「珍味《ちんみ》」はめずらしくておいしい食べ物。「あて」はお酒を飲む時にいっしょに食べるつまみのこと。

16「札《ふだ》」は内容などを書いて人に示す木片。

第12回 テスト 解答・解説

問題は本冊P76~81

(一) 読み

各1点 計30点

グレーの部分は解答の補足です

1 わがし
2 あんみん
3 かじょう
4 ががく
5 かつあい
6 らんかく
7 えんがわ
8 おくせつ
9 すんか
10 かんでんち
11 けいかい
12 おめい
13 かいむ
14 じが
15 のうむ
16 かんげん
17 はっかん
18 はかい
19 びよく
20 かいざい
21 ぬま
22 おか(さない)
23 たきぎのう
24 ふ(り)
25 いた(み)
26 うけたまわ(る)
27 きかざ(って)
28 たたみ
29 ふ(えて)
30 やおや

5「割愛《かつあい》」は惜《お》しみながら省略すること。
8「憶説《おくせつ》」は推測による意見。
14「自我《じが》」は自分自身に対する意識。
20「介在《かいざい》」は間に挟《はさ》まってあること。
23「薪能《たきぎのう》」は薪の明かりで行う能楽。

(二) 同音・同訓異字

各2点 計30点

解答の下は選択肢《たくし》の漢字を含む熟語です

1 ア 探知機《たんちき》
2 エ 嘆願《たんがん》
3 イ 丹念《たんねん》
4 ウ 防波堤《ぼうはてい》
5 オ 抵抗《ていこう》
6 エ 提出《ていしゅつ》
7 エ 指摘《してき》
8 ウ 快適《かいてき》
9 ア 水滴《すいてき》
10 イ 一致《いっち》
11 オ 遅刻《ちこく》
12 ア 無恥《むち》
13 エ 射《い》る
14 オ 居《い》ても
15 ウ 要《い》る

2「嘆願《たんがん》」は事情を説明して熱心に頼むこと。
4「防波堤《ぼうはてい》」は外海からの波を防ぎ、港内の安全を守るために築く突堤。
5「抵抗《ていこう》」は外部からの力にはむかうこと。
10「一致《いっち》」は二つ以上のものがぴったり一つになること。

(三) 漢字識別

各2点 計10点

太字部分は共通する漢字です

1 カ **薄**着《うすぎ》・肉**薄**《にくはく》・**薄**力粉《はくりきこ》
2 コ 白**髪**《しらが》・**髪**型《かみがた》・散**髪**《さんぱつ》
3 エ **程**度《ていど》・旅**程**《りょてい》・行**程**《こうてい》
4 イ **敵**意《てきい》・**敵**役《かたきやく》・不**敵**《ふてき》
5 ク **拍**車《はくしゃ》・**拍**子《ひょうし》・**拍**手《はくしゅ》

(四) 熟語の構成

各2点 計20点

1 イ
2 ウ
3 ア
4 ウ
5 ウ
6 イ
7 オ
8 ア
9 エ
10 エ

1 **是非**《ぜひ》 是(ただしい)↕非(よくない)
2 **俗説**《ぞくせつ》 俗(世間に伝えられている)↓説(話)
3 **汚濁**《おだく》 どちらも「よごれる」の意。
4 **皆勤**《かいきん》 皆(すべて)↓勤(出勤する)
5 **樹齢**《じゅれい》 樹(樹木の)↓齢(年齢)
6 **正誤**《せいご》 正(しい)↕誤(り)
7 **無尽**《むじん》 無(否定)+尽(きる)。「尽きない」。
8 **代替**《だいたい》 どちらも「かえる」の意。
9 **耐震**《たいしん》 耐(える)↑震(地震に)
10 **迎春**《げいしゅん》 迎(える)↑春(を)

(五) 部首

各1点 計10点

グレーの部分は部首の名前です

1 ア 日（ひへん）
2 イ 戈（ほこづくり・ほこがまえ）
3 エ 犭（けものへん）
4 ウ 行（ぎょうがまえ・ゆきがまえ）
5 イ 土（つちへん）
6 イ 人（ひとやね）
7 ウ 立（たつ）
8 ウ 白（しろ）
9 エ 甘（かん・あまい）
10 エ 乙（おつ）

(六) 対義語・類義語

各2点 計20点

グレーの部分は解答の補足です

1 冷却《れいきゃく》⇕加熱《かねつ》
2 野生《やせい》⇕飼育《しいく》
3 定例《ていれい》⇕臨時《りんじ》
4 鋭敏《えいびん》⇕鈍感《どんかん》
5 本名《ほんみょう》⇕通称《つうしょう》
6 合格《ごうかく》＝及第《きゅうだい》
7 憶測《おくそく》＝推量《すいりょう》
8 失脚《しっきゃく》＝転落《てんらく》
9 写生《しゃせい》＝描写《びょうしゃ》
10 御殿《ごてん》＝屋敷《やしき》

(七) 漢字と送りがな

各2点 計10点

1 安《やす》らかな
2 整《ととの》える
3 悩《なや》ます
4 薄《うす》れる
5 被《こうむ》る

(八) 四字熟語

各2点 計20点

グレーの部分は解答の補足です

1 （青《せい》）天白日《てんはくじつ》
2 大《たい》（器《き》）晩成《ばんせい》
3 他力本《たりきほん》（願《がん》）
4 人（面《めん》）獣心《じゅうしん》
5 名所《めいしょ》（旧《きゅう》）跡《せき》
6 一望千《いちぼうせん》（里《り》）
7 （速《そく》）戦即決《せんそっけつ》
8 失笑《しっしょう》（噴《ふん》）飯《ぱん》
9 率先垂《そっせんすい》（範《はん》）
10 付和《ふわ》（雷《らい》）同《どう》

心に何もやましいことがないこと。また、無実が明らかになること。
大人物は、年をとってから頭角を現すようになるということ。
自分で努力せず、もっぱら他人の力をあてにすること。
思いやりがなく非情な人や、恩義を忘れた人のたとえ。
景色がすばらしい地と、歴史的な事件や建造物などのあった場所。
風景が広々としていること。
短時間で一気に決着をつけること。
あまりのおかしさに、食べている飯を噴き出して笑ってしまうこと。
人々の先に立って、自ら模範を示すこと。
自分の意見がなく、他人の意見や行動に軽々しく同調すること。

(九) 誤字訂正《てい》

各2点 計10点

グレーの部分は誤字・正字を含む熟語です

	〔誤〕		〔正〕
1	幅業	→	副業
2	粉起	→	奮起
3	否判	→	批判
4	非痛	→	悲痛
5	帰す	→	返す

(十) 書き取り

各2点 計40点

グレーの部分は解答の補足です

1 調律《ちょうりつ》
2 凶作《きょうさく》
3 遊覧《ゆうらん》
4 明朗《めいろう》
5 脂肪《しぼう》
6 砂丘《さきゅう》
7 途上《とじょう》
8 先輩《せんぱい》
9 奇妙《きみょう》
10 販売《はんばい》
11 就寝《しゅうしん》
12 刺激《しげき》
13 示《しめ》（し）
14 子守《こもり》
15 姿《すがた》
16 借《か》（り）
17 訪《おとず》（れる）
18 灰色《はいいろ》
19 至《いた》（って）
20 補《おぎな》（って）

1「調律《ちょうりつ》」は楽器の音律を演奏の目的に合った状態にととのえること。
3「遊覧《ゆうらん》」は見物してまわること。
4「明朗《めいろう》」は明るくほがらかなこと。
7「途上《とじょう》」は目的の場所に行く途中。物事が進行している途中。
9「奇妙《きみょう》」は不思議なこと。風変わりなこと。
13「示《しめ》し合《あ》わせて」は前もってひそかに相談する。互いに合図をして知らせる。
19「至《いた》って」はきわめて、非常に。

(一) 読み

各1点 計30点

グレーの部分は解答の補足です

1 きゃっか
2 かんしゅう
3 ひってき
4 きそ
5 けいだい
6 じぎ
7 かんてい
8 けんきゃく
9 がんちく
10 ちきゅうぎ
11 さきゅう
12 のうど
13 そびょう
14 ごうきゅう
15 かいひん
16 かんげい
17 こうき
18 きがん
19 かっぷ
20 きゅうだいてん
21 た(える)
22 にご(って)
23 さわ(いで)
24 と(らえた)
25 お(されて)
26 まこと
27 ほんごし
28 あざ(やか)
29 し(めた)
30 もよ(り)

3「匹敵《ひってき》」は対等の相手になること。

6「児戯《じぎ》」は子供の遊び。

13「素描《そびょう》」はデッサン。

19「割賦《かっぷ》」は商品などの代金を何度かに分けて支払うこと。

(二) 同音・同訓異字

各2点 計30点

解答の下は選択肢《たくし》の漢字を含む熟語です

1 オ 隷書《れいしょ》
2 イ 美麗《びれい》
3 エ 高齢者《こうれいしゃ》
4 ウ 普段《ふだん》
5 イ 皮膚科《ひふか》
6 エ 腐食《ふしょく》
7 オ 宣言《せんげん》
8 ウ 扇風機《せんぷうき》
9 エ 洗礼《せんれい》
10 オ 踏破《とうは》
11 イ 闘争心《とうそうしん》
12 ア 盗難《とうなん》
13 ウ 止《と》まった
14 エ 泊《と》めて
15 イ 留《と》まる

1「隷書《れいしょ》」は漢字の書体のひとつ。直線的。

6「腐食《ふしょく》」は腐って崩《くず》れること。

9「洗礼《せんれい》」はのちに影響があるようなことについて経験すること。避けて通れない試練。

11「闘争心《とうそうしん》」は相手に勝とうとする気持ちのこと。

(三) 漢字識別

各2点 計10点

太字部分は共通する漢字です

1 ケ 仕**舞**《しまい》・**舞**曲《ぶきょく》・初**舞**台《はつぶたい》
2 キ 相**互**《そうご》・**互**角《ごかく》・交**互**《こうご》
3 ウ **納**入《のうにゅう》・出**納**《すいとう》・**納**得《なっとく》
4 コ **迷**信《めいしん》・**迷**路《めいろ》・**迷**子《まいご》
5 ア 寄**航**《きこう》・欠**航**《けっこう》・**航**行《こうこう》

(四) 熟語の構成

各2点 計20点

1 ウ 帰途《きと》 帰(る)↓途(中)
2 ウ 筆跡《ひっせき》 筆(の)↓跡。「ふであと」とも読む。
3 オ 未踏《みとう》 未(否定)+踏(む)
4 ウ 城壁《じょうへき》 城(の)↓壁
5 ア 貯蓄《ちょちく》 どちらも「たくわえる」の意。
6 エ 噴火《ふんか》 噴(く)↑火(を)
7 エ 鎖国《さこく》 鎖(とざす)↑国(を)
8 イ 着脱《ちゃくだつ》 着(る)⇕脱(ぐ)
9 ア 断絶《だんぜつ》 どちらも「たち切る」の意。
10 イ 断続《だんぞく》 断(つ)⇕続(く)

問題は本冊P82～87

（五）部首
各1点 計10点

グレーの部分は部首の名前です

1 エ 鬼（おに）
2 ア 口（くち）
3 ウ 車（くるま）
4 イ 王（おうへん たまへん）
5 エ 幺（よう いとがしら）
6 ア 大（だい）
7 エ 艹（くさかんむり）
8 ウ 一（いち）
9 イ 又（また）
10 イ 皿（さら）

（六）対義語・類義語
各2点 計20点

グレーの部分は解答の補足です

1 抵抗《ていこう》⇕屈従《くつじゅう》
2 実況《じっきょう》⇕録画《ろくが》
3 近時《きんじ》⇕往時《おうじ》
4 永遠《えいえん》⇕一瞬《いっしゅん》
5 新婦《しんぷ》⇕新郎《しんろう》
6 屈指《くっし》＝有数《ゆうすう》
7 傾向《けいこう》＝風潮《ふうちょう》
8 狂気《きょうき》＝乱心《らんしん》
9 栄光《えいこう》＝名誉《めいよ》
10 関連《かんれん》＝脈絡《みゃくらく》

（七）漢字と送りがな
各2点 計10点

1 再《ふたた》び
2 後《うし》ろめたい
3 浮《う》かれ
4 扱《あつか》い
5 抱《かか》え

（八）四字熟語
各2点 計20点

グレーの部分は解答の補足です

1 同工《どうこう》（異《い》）曲《きょく》
2 （談《だん》）論風発《ろんぷうはつ》
3 現状維《げんじょうい》（持《じ》）
4 人事不《じんじふ》（省《せい》）
5 難攻不《なんこうふ》（落《らく》）
6 離合《りごう》（集《しゅう》）散《さん》
7 薄志《はくし》（弱《じゃっ》）行《こう》
8 熟《じゅく》（慮《りょ》）断行《だんこう》
9 自力《じりき》（更《こう》）生《せい》
10 武運長《ぶうんちょう》（久《きゅう》）

外見は違っているように見えても中身はだいたい同じであること。

盛んに話し合い、議論を行うこと。

現在の状態を変化しないように保つこと。

意識不明の状態に陥《おちい》ること。

攻撃するのが困難で、容易に攻め落とせないこと。

離れたり集まったり、また、集まったり散ったりすること。

意志や決断力が弱いさま。

十分に考えたうえで思い切って行うこと。

人に頼らずに、自分だけの力で生活を改めること。

戦場での幸運や出征した兵士の無事がいつまでも続くこと。

（九）誤字訂《てい》正
各2点 計10点

グレーの部分は誤字・正字を含む熟語です

〔誤〕 〔正〕
1 成攻 → 成功
2 捕留 → 保留
3 命言 → 明言
4 抱容力 → 包容力
5 敗れ → 破れ

（十）書き取り
各2点 計40点

グレーの部分は解答の補足です

1 恩《おん》
2 沿道《えんどう》
3 巨大《きょだい》
4 蒸発《じょうはつ》
5 応戦《おうせん》
6 濃淡《のうたん》
7 爆発《ばくはつ》
8 運搬《うんぱん》
9 煙突《えんとつ》
10 乾燥《かんそう》
11 大砲《たいほう》
12 漫画《まんが》
13 常《つね》
14 笑《え》（み）
15 商《あきな》（い）
16 縮《ち》（む）
17 訳《わけ》
18 畳《たたみ》
19 花束《はなたば》
20 獣《けもの》

1「恩《おん》」は他の人からの恵み。人から受ける感謝すべき行為。

4「蒸発《じょうはつ》」は液体がその表面から気化する現象。

5「応戦《おうせん》」は敵の攻撃に対して戦うこと。

6「濃淡《のうたん》」は色や味の、濃いことと、薄いこと。墨《すみ》一色を使って、墨《すみ》の濃淡などの技法を用いて描かれた絵を水墨《ぼく》画という。

8「運搬《うんぱん》」は品物を運び移すこと。

15「商《あきな》い」は売り買いすること。商売。

問題は本冊 P88～93

(一) 読み

グレーの部分は解答の補足です

各1点 計30点

1 きょとう
2 かんきょう
3 しんらい
4 おんけい
5 しゃきょう
6 きんきょう
7 くっせつ
8 こうきょうがく
9 たいいんれき
10 くし
11 たんちょう
12 ぎょうてん
13 けいしゃ
14 ちょうけい
15 ばんごはん
16 きょり
17 ぎょたく
18 ぜっきょう
19 どうたい
20 こんきょ
21 たくわ(えた)
22 はず(む)
23 しずく
24 なげ(く)
25 そこ(なった)
26 あやつ(る)
27 す(んで)
28 ぬ(ぐ)
29 は(ね)
30 もみじ

9「太陰《たいいん》」は月のこと。「太陰暦《たいいんれき》」は旧暦。

11「丹《たん》」は赤、「頂《ちょう》」は頭頂。丹頂は頭頂部の赤いツルで、特別天然記念物。

17「魚拓《ぎょたく》」は釣《つ》った魚に墨《すみ》を塗《ぬ》って和紙に写し取ったもの。

(二) 同音・同訓異字

解答の下は選択肢《たくし》の漢字を含む熟語です

各2点 計30点

1 ウ 優勝杯《ゆうしょうはい》
2 オ 拝見《はいけん》
3 イ 後輩《こうはい》
4 ウ 複数《ふくすう》
5 エ 腹痛《ふくつう》
6 ア 幅員《ふくいん》
7 ア 濃淡《のうたん》
8 オ 苦悩《くのう》
9 イ 納期《のうき》
10 ウ 師範《しはん》
11 ア 市販《しはん》
12 エ 搬入《はんにゅう》
13 ア 張《は》り
14 オ 吐《は》き
15 ウ 果《は》てる

1「優勝杯《ゆうしょうはい》」は様々な競技において、優勝者個人や、優勝チームに授与される杯のこと。

2「拝見《はいけん》」は謹《つつし》んで見ること。

6「幅員《ふくいん》」は道路や橋などの幅。

10「師範《しはん》」は人の手本になること。または人。

11「市販《しはん》」は一般の小売店で売ること。

(三) 漢字識別

太字部分は共通する漢字です

各2点 計10点

1 オ **壁**紙《かべがみ》・鉄**壁**《てっぺき》・**壁**新聞《かべしんぶん》
2 イ **寸**志《すんし》・**寸**前《すんぜん》・採**寸**《さいすん》
3 コ **片**時《かたとき》・**片**言《かたこと》・破**片**《はへん》
4 キ **鼻**先《はなさき》・**鼻**筋《はなすじ》・**鼻**音《びおん》
5 ウ 大**砲**《たいほう》・**砲**火《ほうか》・鉄**砲**《てっぽう》

(四) 熟語の構成

各2点 計20点

1 ウ
2 ア
3 ア
4 イ
5 ア
6 エ
7 イ
8 エ
9 オ
10 ウ

激怒《げきど》 激(しく)↓怒(る)
倒壊《とうかい》 どちらも「つぶれる」の意。
到達《とうたつ》 どちらも「いたる」の意。
自他《じた》 自(自分)↕他(他人)
戦闘《せんとう》 どちらも「たたかう」の意。
渡米《とべい》 渡(る)↑米(アメリカに)
進退《しんたい》 進(む)↕退(く)
離陸《りりく》 離(れる)↑陸(を)
無為《むい》 無(否定)+為(行う)
鉄塔《てっとう》 鉄(の)↓塔

（五）部首

各1点 計10点

グレーの部分は部首の名前です

1 イ 心（こころ）
2 エ 尸（かばね しかばね）
3 ア 羊（ひつじ）
4 ア 馬（うま）
5 ウ 音（おと）
6 イ 工（たくみ）
7 ア 干（かん いちじゅう）
8 エ 疋（ひき）
9 ウ 心（こころ）
10 イ 土（つち）

（六）対義語・類義語

各2点 計20点

グレーの部分は解答の補足です

1 恒星《こうせい》⇔惑星《わくせい》
2 反抗《はんこう》⇔服従《ふくじゅう》
3 脱退《だったい》⇔加盟《かめい》
4 野党《やとう》⇔与党《よとう》
5 雄花《おばな》⇔雌花《めばな》
6 対等《たいとう》＝互角《ごかく》
7 敬服《けいふく》＝感心《かんしん》
8 許可《きょか》＝承認《しょうにん》
9 余白《よはく》＝欄外《らんがい》
10 暴風《ぼうふう》＝烈風《れっぷう》

（七）漢字と送りがな

各2点 計10点

1 試《こころ》みる
2 治《おさ》まら
3 忙《いそが》しい
4 侵《おか》される
5 遅《おく》らせ

（八）四字熟語

各2点 計20点

グレーの部分は解答の補足です

1 朝《ちょう》（令《れい》）暮《ぼ》改《かい》
2 南《なん》船《せん》北《ほく》（馬《ば》）
3 臨《りん》機《き》（応《おう》）変《へん》
4 不《ふ》（可《か》）抗《こう》力《りょく》
5 用《よう》意《い》（周《しゅう》）到《とう》
6 傍《ぼう》若《じゃく》（無《ぶ》）人《じん》
7 理《り》非《ひ》（曲《きょく》）直《ちょく》
8 （妙《みょう》）計《けい》奇《き》策《さく》
9 人《じん》（跡《せき》）未《み》踏《とう》
10 （尋《じん》）常《じょう》一《いち》様《よう》

法令や通達がすぐに変更され、定まらないこと。
絶えずあちこち旅行すること。
その場の成り行きに応じて、適切な手段をとること。
天災地変のように、人力ではどうすることもできないこと。
用意が十分に行き届いていること。
まるで周囲に誰もいないかのように、身勝手に振る舞うさま。
道理に合っていることと、合っていないこと。
普通の人では思いつかないような、優《すぐ》れた方策。
人が一度も足を踏み入れたことがないこと。
特に変わったところもなく、一般的であるさま。

（九）誤字訂正《ていせい》

各2点 計10点

グレーの部分は誤字・正字を含む熟語です

	〔誤〕		〔正〕
1	集大勢	→	集大成
2	大容	→	大要
3	礼静	→	冷静
4	余断	→	予断
5	易しく	→	優しく

（十）書き取り

各2点 計40点

グレーの部分は解答の補足です

1 浮力《ふりょく》
2 我流《がりゅう》
3 汚職《おしょく》
4 仏閣《ぶっかく》
5 対象《たいしょう》
6 圧巻《あっかん》
7 露骨《ろこつ》
8 特徴《とくちょう》
9 原稿《げんこう》
10 慎重《しんちょう》
11 退却《たいきゃく》
12 水溶液《すいようえき》
13 黄金《こがね》
14 責《せ》（め）
15 盛《さか》（り）
16 織《お》（り）
17 曇《くも》（り）
18 昼寝《ひるね》
19 鮮《あざ》（やか）
20 座《すわ》（る）

1「浮力《ふりょく》」は流体上にある物体に作用する上向きの力。
2「我流《がりゅう》」は正規の作法にないような自分流のやり方。
4「仏閣《ぶっかく》」は寺のこと。
5「対象《たいしょう》」はその行為の目標になるもの。
6「圧巻《あっかん》」はもっとも優《すぐ》れていること。
7「露骨《ろこつ》」はあからさまに感情などを外に表すこと。
15「盛《さか》り」は物事が頂点に達していること。また、その時期。

(一) 読み

各1点 計30点

グレーの部分は解答の補足です

1 けいしょう
2 こうれい
3 はんこう
4 しゅとけん
5 ちき
6 しゅつげき
7 さんぱつ
8 がっち
9 かんこ
10 けんよう
11 はけん
12 ねっきょう
13 じんとう
14 ぼっけん
15 へんこう
16 げんかん
17 こどう
18 こうご
19 ちんちょう
20 せんめい
21 のきした
22 かれさんすい
23 す(き)
24 たお(れた)
25 いちじる(しい)
26 さぐ(り)
27 ぬす(んで)
28 とうげ
29 からくさ
30 しゃみせん

2「恒例《こうれい》」はいつも決まって行われること。

5「知己《ちき》」は知り合い。

22「枯山水《かれさんすい》」は寺院によく見られる、水のないところに石を配し、山水を表現した庭。

(二) 同音・同訓異字

各2点 計30点

解答の下は選択肢《たくし》の漢字を含む熟語です

1 オ 疲労《ひろう》
2 ア 避難《ひなん》
3 ウ 批評《ひひょう》
4 イ 取捨《しゅしゃ》
5 オ 斜面《しゃめん》
6 ア 直射《ちょくしゃ》
7 エ 恐怖心《きょうふしん》
8 ア 敷設《ふせつ》
9 イ 浮上《ふじょう》
10 ウ 騒音《そうおん》
11 オ 車窓《しゃそう》
12 イ 乾燥《かんそう》
13 エ 落《お》ち
14 ア 置《お》いて
15 ウ 押《お》して

3「批評《ひひょう》」は物事の是非や善悪などを指摘して、自分の意見を述べること。

4「取捨選択《しゅしゃせんたく》」は不要なものは捨てて、必要なものを選ぶこと。

6「直射《ちょくしゃ》」は光線がじかに当たること。まっすぐ照らすこと。

9「浮上《ふじょう》」は水中から水面に浮かび上がること。

10「騒音《そうおん》」は人に不快感を与える騒がしい音。

(三) 漢字識別

各2点 計10点

太字部分は共通する漢字です

1 コ **眠**気《ねむけ》・仮**眠**《かみん》・冬**眠**《とうみん》
2 エ **霧**笛《むてき》・**霧**氷《むひょう》・夜**霧**《よぎり》
3 イ 本**望**《ほんもう》・待**望**《たいぼう》・**望**外《ぼうがい》
4 キ **夢**中《むちゅう》・初**夢**《はつゆめ》・白昼**夢**《はくちゅうむ》
5 ケ **綿**花《めんか》・連**綿**《れんめん》・**綿**雪《わたゆき》

(四) 熟語の構成

各2点 計20点

1 ウ
2 ウ
3 エ
4 イ
5 ア
6 イ
7 ウ
8 オ
9 ア
10 エ

透視《とうし》 透(かして)🡓視(見る)
曇天《どんてん》 曇(った)🡓天
迫真《はくしん》 迫(る)🡑真(に)
濃淡《のうたん》 濃(い)⇕淡(い)
単独《たんどく》 どちらも「ひとり」の意。
当否《とうひ》 当(たる)⇕否(当たらない)
爆音《ばくおん》 爆(発するような大きな)🡓音
無尽《むじん》 無(否定)+尽(きる)。「尽きない」。
運搬《うんぱん》 どちらも「はこぶ」の意。
配慮《はいりょ》 配(る)🡑慮(心を)

問題は本冊 P94~99

(五) 部首

グレーの部分は部首の名前です

各1点 計10点

1 ア 殳（るまた ほこづくり）
2 イ 八（はち）
3 ウ 口（くにがまえ）
4 エ 鼓（つづみ）
5 ア 手（て）
6 エ 二（に）
7 ウ 玄（げん）
8 ア 曰（ひらび いわく）
9 イ 禾（のぎへん）
10 ア 土（つち）

(六) 対義語・類義語

グレーの部分は解答の補足です

各2点 計20点

1 断念《だんねん》⇕執着《しゅうちゃく》
2 厳冬《げんとう》⇕盛夏《せいか》
3 水平《すいへい》⇕垂直《すいちょく》
4 濃縮《のうしゅく》⇕希釈《きしゃく》
5 加入《かにゅう》⇕脱退《だったい》
6 豪放《ごうほう》＝豪快《ごうかい》
7 勤務《きんむ》＝就労《しゅうろう》
8 歳末《さいまつ》＝歳暮《せいぼ》
9 理由《りゆう》＝根拠《こんきょ》
10 専有《せんゆう》＝独占《どくせん》

(七) 漢字と送りがな

各2点 計10点

1 唱《とな》える
2 壊《こわ》れ
3 疲《つか》れ
4 頼《たの》もしい
5 離《はな》れ

(八) 四字熟語

グレーの部分は解答の補足です

各2点 計20点

1 青息《あおいき》（吐《と》）息《いき》
2 付《ふ》（和《わ》）雷同《らいどう》
3 （油《ゆ》）断大敵《だんたいてき》
4 迷惑《めいわく》（千《せん》）万《ばん》
5 物《ぶつ》（情《じょう》）騒然《そうぜん》
6 前人《ぜんじん》（未《み》）到《とう》
7 理《り》（路《ろ》）整然《せいぜん》
8 （震《しん》）天動地《てんどうち》
9 人品骨《じんぴんこつ》（柄《がら》）
10 不眠不《ふみんふ》（休《きゅう》）

困難や苦痛に見舞われているときにつくため息。

自分の考えがなく、他人の意見にすぐ同調すること。

油断は、思わぬ失敗を招くから、油断は大きな敵であるということ。

非常に迷惑であるさま。

世の中が落ち着かず騒がしい様子。

今までに誰も到達していないこと。

物事や話の筋道がきちんと通っているさま。

世間をひどく驚かすこと。

「人品」は品位、「骨柄」は体つき。その人の品性・品格のこと。

眠ることも休むこともせずに物事を行うこと。

(九) 誤字訂《てい》正

グレーの部分は誤字・正字を含む熟語です

各2点 計10点

	〔誤〕		〔正〕
1	決為	↓	決意
2	最害	↓	災害
3	反影	↓	反映
4	鉛岸	↓	沿岸
5	写す	↓	移す

(十) 書き取り

グレーの部分は解答の補足です

各2点 計40点

1 始末《しまつ》
2 寄進《きしん》
3 許容《きょよう》
4 牧歌《ぼっか》
5 発揮《はっき》
6 発掘《はっくつ》
7 両替《りょうがえ》
8 渡米《とべい》
9 天賦《てんぶ》
10 需要《じゅよう》
11 大凶《だいきょう》
12 巡回《じゅんかい》
13 節《ふし》
14 恥《は》（ずかしい）
15 設《もう》（ける）
16 操《あやつ》（り）
17 慣《な》（れた）
18 襲《おそ》（われる）
19 従《したが》（え）
20 弾《はず》（んだ）

2「寄進《きしん》」は寄付のこと。

3「許容《きょよう》」は許すこと。

4「牧歌的《ぼっかてき》」は素朴《そぼく》で穏《おだ》やかな様子。

5「発揮《はっき》」はその人が持っている能力や特性を十分に働かせること。

6「発掘《はっくつ》」は地中に埋《う》もれているものを掘り出すこと。考古学で遺跡などを掘り出す作業。

9「天賦《てんぶ》」は天から授かったであろう生まれつきの資質。

14「老《お》いては子《こ》に従《したが》え」は年を取ってからは子供の言うことに従った方がよいということ。

（一） 読み

各1点 計30点

グレーの部分は解答の補足です

1 しんこん
2 ひさん
3 にゅうこう
4 ごうう
5 じゃり
6 しんみょう
7 しゅし
8 ようこう
9 しゅう
10 らんかん
11 きさい
12 こうりょう
13 めいし
14 さいふ
15 しうん
16 ばんざい
17 せんざい
18 しゅうねん
19 ばっぽん
20 かつやく
21 にほんがみ
22 いも
23 かがや（く）
24 こわ（れた）
25 ほど
26 さ（げて）
27 こづか（い）
28 かみなり
29 こ（い）
30 しばふ

3「入稿《にゅうこう》」は原稿を渡すこと。
6「神妙《しんみょう》」は普段とは違っておとなしく素直な様子。
10「欄干《らんかん》」は人が落ちないよう橋や階段に付けられた手すり。
18「執念《しゅうねん》」は一つのことを思いこむこと。

（二） 同音・同訓異字

各2点 計30点

解答の下は選択肢《たくし》の漢字を含む熟語です

1 イ 奮発《ふんぱつ》
2 オ 噴射《ふんしゃ》
3 ア 粉末《ふんまつ》
4 オ 巡回《じゅんかい》
5 イ 不純物《ふじゅんぶつ》
6 エ 下旬《げじゅん》
7 イ 対称《たいしょう》
8 ウ 詳細《しょうさい》
9 エ 紹介《しょうかい》
10 ウ 脱帽《だつぼう》
11 エ 傍観《ぼうかん》
12 ア 冒険《ぼうけん》
13 イ 溶《と》く
14 エ 説《と》いて
15 ア 解《と》く

1「奮発《ふんぱつ》」は気力を奮い起こすこと。
2「噴射《ふんしゃ》」は液体や気体を一定方向へ噴き出させること。
10「脱帽《だつぼう》」はかぶっている帽子を脱ぐこと。また、相手に敬意を表すこと。
11「傍観《ぼうかん》」はかたわらで見ること。そのことに関わらないで、はたで見ていること。

（三） 漢字識別

各2点 計10点

太字部分は共通する漢字です

1 キ 小**粒**《こつぶ》・飯**粒**《めしつぶ》・素**粒**子《そりゅうし》
2 エ 両**隣**《りょうどなり》・**隣**席《りんせき》・善**隣**《ぜんりん》
3 コ **裏**地《うらじ》・脳**裏**《のうり》・**裏**話《うらばなし》
4 イ 残**留**《ざんりゅう》・**留**守《るす》・書**留**《かきとめ》
5 ケ 朝**露**《あさつゆ》・**露**見《ろけん》・発**露**《はつろ》

（四） 熟語の構成

各2点 計20点

1 エ
2 ア
3 イ
4 ウ
5 オ
6 エ
7 ウ
8 イ
9 ウ
10 ア

越冬《えっとう》 越（す）⬆冬（を）
繁栄《はんえい》 どちらも「さかんになる」の意。
難易《なんい》 難（しい）⬍易（しい）
円盤《えんばん》 円（の）⬇盤
未婚《みこん》 未（否定）＋婚（結婚）。「まだ結婚していない」。
避難《ひなん》 避（ける）⬆難（を）
俗説《ぞくせつ》 俗（世間に伝えられている）⬇説（話）
首尾《しゅび》 首（はじめ）⬍尾（おわり）
微熱《びねつ》 微（平熱より少し高めの）⬇熱
恐怖《きょうふ》 どちらも「こわい」の意。

問題は本冊 P100～105

(五) 部首

各1点 計10点

グレーの部分は部首の名前です

1 エ 釒(かねへん)
2 イ 彡(さんづくり)
3 エ 糸(いと)
4 ア 土(つち)
5 ア 止(とめる)
6 ア 米(こめへん)
7 イ ノ(のはらいぼう)
8 ウ 隹(ふるとり)
9 イ 血(ち)
10 イ 車(くるま)

(六) 対義語・類義語

各2点 計20点

グレーの部分は解答の補足です

1 需要《じゅよう》⇔供給《きょうきゅう》
2 奇襲《きしゅう》⇔正攻《せいこう》
3 家来《けらい》⇔主君《しゅくん》
4 就寝《しゅうしん》⇔起床《きしょう》
5 劣等《れっとう》⇔優秀《ゆうしゅう》
6 趣向《しゅこう》＝工夫《くふう》
7 守備《しゅび》＝防御《ぼうぎょ》
8 作用《さよう》＝機能《きのう》
9 手柄《てがら》＝功績《こうせき》
10 看病《かんびょう》＝介抱《かいほう》

(七) 漢字と送りがな

各2点 計10点

1 迎《むか》える
2 自《みずか》ら
3 劣《おと》る
4 甘《あま》んじ
5 恐《おそ》ろしい

(八) 四字熟語

各2点 計20点

グレーの部分は解答の補足です

1 明鏡《めいきょう》(止《し》)水《すい》
2 博覧強《はくらんきょう》(記《き》)
3 論旨明《ろんしめい》(快《かい》)
4 (本《ほん》)末転倒《まってんとう》
5 急《きゅう》(転《てん》)直下《ちょっか》
6 七難八《しちなんはっ》(苦《く》)
7 薄《はく》(利《り》)多売《たばい》
8 晴《せい》(耕《こう》)雨読《うどく》
9 後《ご》(生《しょう》)大事《だいじ》
10 前《ぜん》(途《と》)多難《たなん》

心中にやましさがなく、澄み切っているさま。

広く書物を読んで、それらをよく記憶していること。

文章や議論の趣旨が、筋道が通っていてわかりやすいこと。

物事の扱いで、重要なこととつまらないことが反対になること。

形勢が急に変わって、事件などが解決に向かうこと。

ありとあらゆる苦難。

利益を薄くして品物を多く売ること。

田園で、のんびりとゆうゆう自適の生活をすること。

ある物を非常に大切にすること。

行く先には多くの困難があることが予期されること。

(九) 誤字訂《てい》正

各2点 計10点

グレーの部分は誤字・正字を含む熟語です

〔誤〕 〔正〕

1 加能 → 可能
2 業会 → 業界
3 慣連 → 関連
4 依顔 → 依願
5 目冷める → 目覚める

(十) 書き取り

各2点 計40点

グレーの部分は解答の補足です

1 老朽化《ろうきゅうか》
2 輸送《ゆそう》
3 潔白《けっぱく》
4 運河《うんが》
5 主観《しゅかん》
6 迫真《はくしん》
7 点滴《てんてき》
8 威勢《いせい》
9 地球儀《ちきゅうぎ》
10 痛烈《つうれつ》
11 巨大《きょだい》
12 激怒《げきど》
13 基《もと》(づく)
14 帯《お》(びた)
15 注《そそ》(ぐ)
16 潮風《しおかぜ》
17 空回《からまわ》(り)
18 誇《ほこ》(り)
19 陰《かげ》(る)
20 斜《なな》(め)

2「輸送《ゆそう》」は車・電車・航空機・船などで人や物を運ぶこと。

3「潔白《けっぱく》」は潔《いさぎよ》く、心が汚れていないこと。

4「運河《うんが》」は船が航行するためにつくられた人工の水路。

6「迫真《はくしん》」は真にせまること。いかにもそのものらしいこと。

7「点滴《てんてき》」は血管の中に管を固定して、薬などを投与すること。

10「痛烈《つうれつ》」は非常に激しく働きかけること。

17「空回《からまわ》り」は車輪などが無駄《だ》に回転すること。行動が意味をなさずに同じ状態を繰り返すこと。

MEMO

MEMO

矢印方向に引くと別冊の解答・解説が外れます。▶